Cymraeg TGAU – **Help Llaw**

gydag astudio

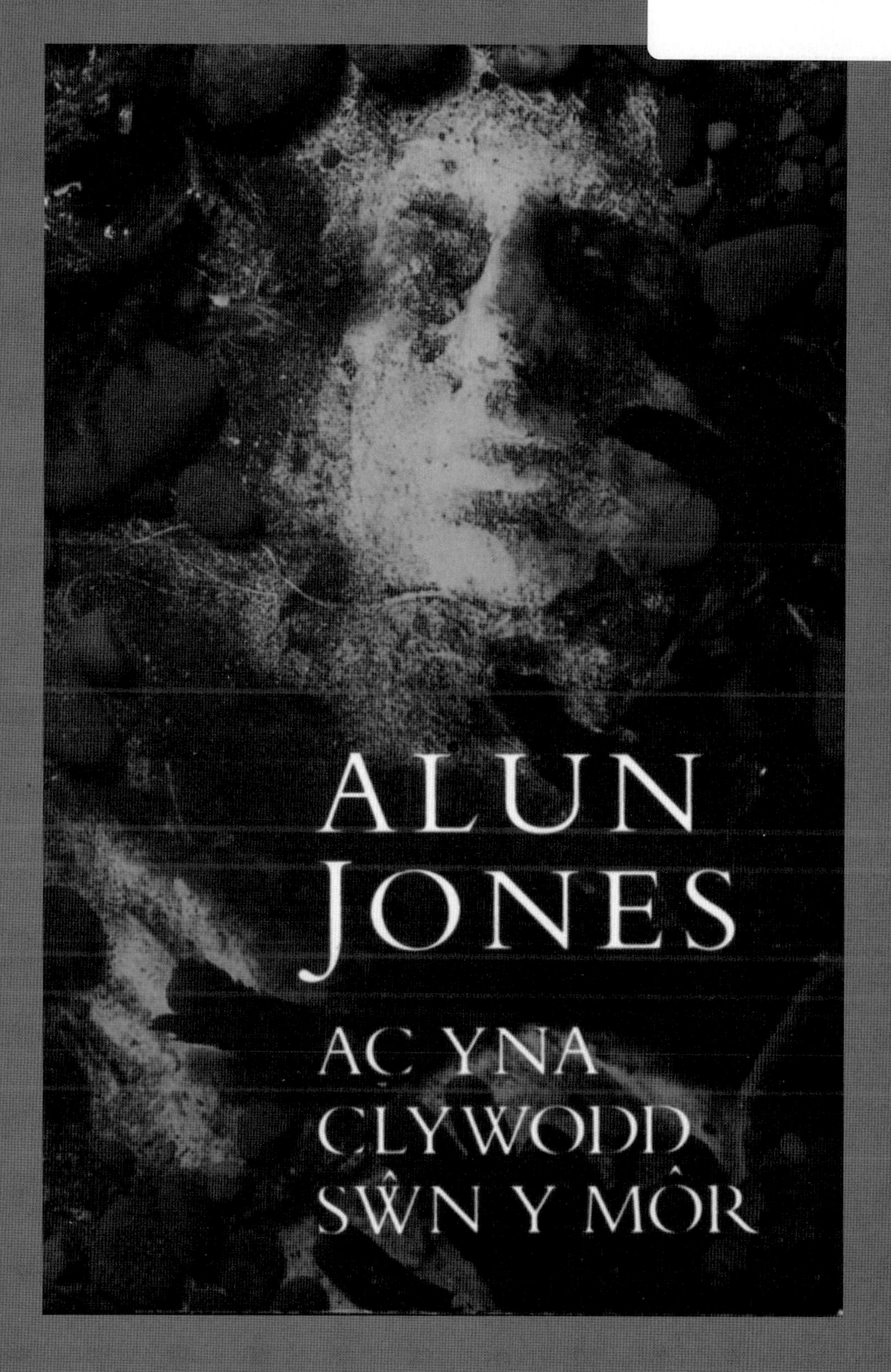

Nodiadau astudio **gan Nona Breese**

@ebol

Cydnabyddiaethau

Golygwyd gan **Bethan Clement, Eirian Jones a Ffion Eluned**

Map gan **Ceri Jones**

Dyluniwyd gan Stiwdio Ceri Jones, **stiwdio@ceri-talybont.com**

Diolch i Wasg Gomer am eu caniatâd i ddefnyddio clawr y nofel wreiddiol

Argraffwyd gan **Argraffwyr Cambria**

Noddwyd gan Lywodraeth Cynulliad Cymru

Cyhoeddwyd gan Atebol Cyfyngedig, Adeiladau'r Fagwyr, Llanfihangel Genau'r Glyn, Aberystwyth, Ceredigion SY24 5AQ

www.atebol.com

ISBN: 978-1-907004-89-6

Cynnwys

1. Lleoliadau'r Nofel

PENERDDIG
Y dref agosaf at Hirfaen. Mae 7 milltir i ffwrdd. Yma mae gwesty Yr Erddig.

HIRFAEN
Gwesty Sant Aron. Gwesty crand sy'n denu twristiaid
Yr Wylan Wen. Gwesty pobl gyffredin
Stad Maes Ceris. Stad newydd o dai. Cymry sy'n byw yno.
Siop Gwilym. Cigydd.
Siop Harri Jôs. Groser – gwerthu pob math o fwydydd
Y post
Tan Ceris. Cartref Now.
Allt Ceris. Y rhiw/tyle allan o'r pentref.
Llwybr Uwchlaw'r Môr. Llwybr ar ochr y mynydd wrth y môr

LLANARON
Pentref cyfagos, 5 milltir o Hirfaen.

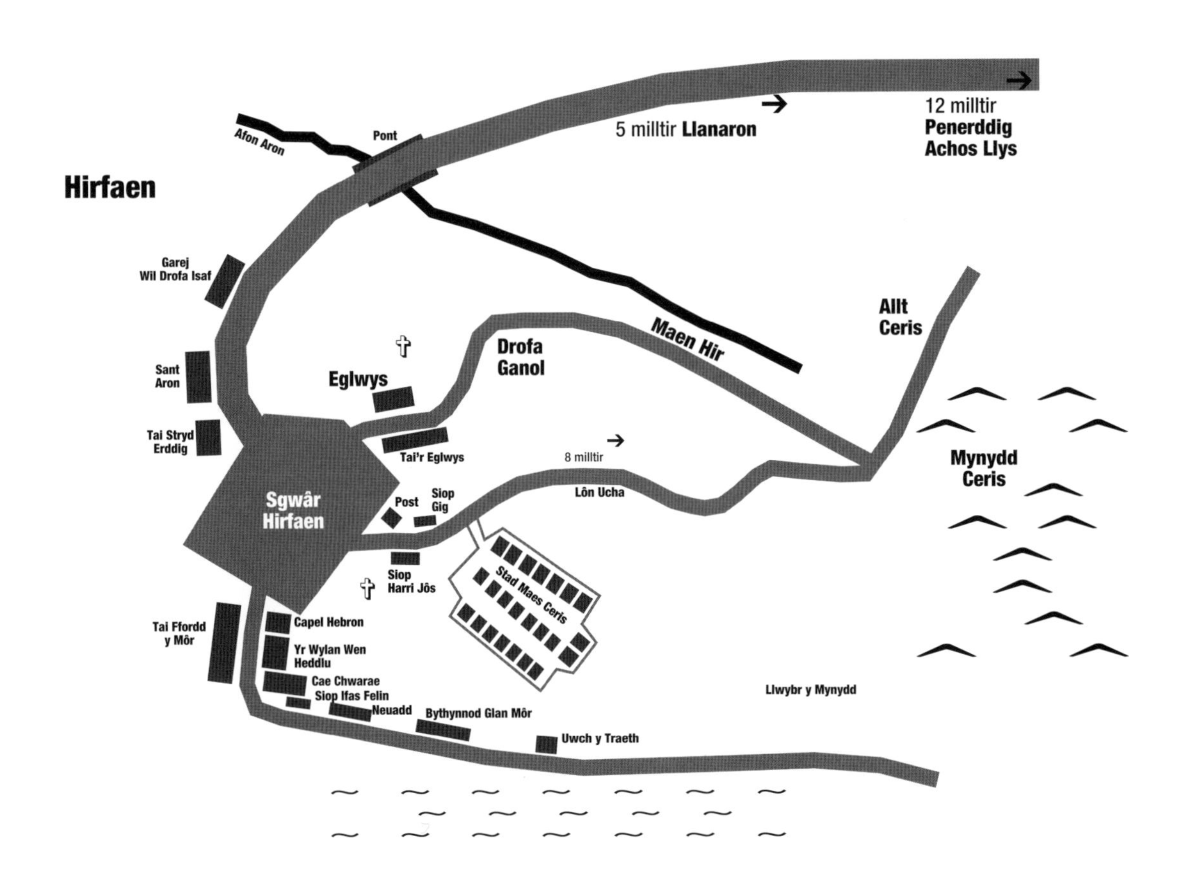

2. Alun Jones

Cafodd Alun Jones ei eni yn Nhrefor, Caernarfon yn 1946. Cafodd ei addysg uwchradd ym Mhwllheli ac yna aeth i'r brifysgol yng Nghaerdydd.

Bu'n cadw siop lyfrau Llên Llŷn ym Mhwllheli am 40 mlynedd cyn ymddeol yn 2010. Mae'n gobeithio cael mwy o amser i ysgrifennu rŵan. Mae'n briod ag Ann ac mae ganddynt bump o feibion.

Mae wedi byw yn Sarn Mellteyrn ym Mhen Llŷn ers blynyddoedd ac mae cadw traddodiadau'r ardal yn bwysig iddo. Mae hynny a'i gariad angerddol at Gymru a Chymreictod yn cael eu hadlewyrchu yn y nofel 'Ac yna clywodd sŵn y môr.'

'Ac yna clywodd sŵn y môr', a gyhoeddwyd yn 1979 oedd ei nofel gyntaf ac mae wedi cael ei hargraffu ddwywaith wedyn sy'n profi pa mor boblogaidd ydyw.

Er 1979 mae Alun Jones wedi cyhoeddi nofelau eraill sef:

- Pan Ddaw'r Machlud
- Oed Rhyw Addewid
- Plentyn y Bwtias
- Draw dros y Tonnau Bach
- Y Llaw Wen
- Fy Mrawd a Minnau

3. Cyd-destun y Nofel

Mae'r nofel wedi ei lleoli mewn pentref glan y môr yng ngogledd orllewin Cymru tua chanol y ganrif ddiwethaf. Mae Hirfaen yn bentref clòs gyda phawb yn adnabod ei gilydd. Mae llawer o'r rhai sy'n byw yno yn perthyn i'w gilydd e.e. mae gwraig Harri Jôs, y siopwr, yn chwaer i Robin Gwastad Hir.

Gan fod eu gwreiddiau'n ddwfn yn yr ardal mae pawb yn gwybod hanes a chefndir pawb arall. Pan fydd angladd yn y pentref bydd pawb yn mynd yno e.e. angladd Gladys. Byddant yn mynd i angladd o ddyletswydd yn aml.

Mae awgrymiadau cynnil yn y nofel bod Saeson yn ymweld â'r ardal ac yn dod yno i fyw. Pan gafodd Meredydd waith cynllunio tŷ moethus, meddyliodd mai 'tŷ Sais eto' oedd e sy'n awgrymu bod llawer o Saeson cyfoethog yn symud i'r ardal. Nid oes llawer o groeso iddynt yn yr Wylan Wen. Rydym yn gweld hyn pan mae Now yn pryfocio Robin Williams, y tafarnwr trwy ddweud, 'Rwyt ti'n rhedeg digon i Saeson.' Ateb Robin ydy, 'Dim uffar o beryg.' Nid yw Einir yn dangos croeso i'r Saeson chwaith. Rydym yn cael tystiolaeth o hyn pan mae hi'n dweud, 'Dyna ti, Pero, ffwr â thi!' a'r Sais yn chwyrnu 'Inglish' arni!

Gweithio'n lleol mae cymeriadau'r nofel e.e. mewn garej neu siop neu ar fferm a nhw yw perchenogion y busnesau. Yn y dref agosaf, Penerddig, mae Meredydd ac Einir yn byw. Mae hyn yn awgrymu bod y bobl ifanc sy'n byw yn Hirfaen yn mynd oddi yno i weithio.

Dyma'r cyfnod pan oedd llawer o stadau o dai preifat yn cael eu hadeiladu yn ein pentrefi ac mae Maes Ceris yn enghraifft o un o'r stadau hynny. Cafodd Now Tan Ceris ganiatâd cynllunio a gwerthodd beth o'i fferm i adeiladwr lleol. Mae pobl o wahanol oedran yn byw ar y stad e.e. Gladys Drofa Ganol a Meredydd. Un peth cyffredin rhwng y ddau ydy eu bod wedi symud o dyddyn neu fferm i fyw ar stad.

Mae siop cigydd a groser a swyddfa'r post yn y pentref ac mae pobl yn gwneud eu siopa yn lleol. Yno mae pobl yn cael yr holl hanesion lleol.

Mae'r dynion yn mynd am beint i dafarn gyda'r nos i gymdeithasu ac maent o wahanol oedran ond nid oes sôn am griw o ferched yn mynd allan gyda'i gilydd. Er hynny, mae Einir yn gweithio y tu ôl i'r bar ac mae hi'n mynd i'r Wylan Wen gyda Meredydd.

Yn y cyfnod hwn, roedd plismon yn byw ym mhob pentref ac roedd y plismon hwnnw'n rhan o'r gymuned.

Does dim ffôn ym mhob tŷ e.e. cartref Einir a does gan bawb ddim car e.e. Einir a Gladys.

Does dim sôn am fynychu capel neu eglwys yn y nofel ond mae capel ac eglwys yn Hirfaen ac mae'n bur debyg y byddai llawer o weithgareddau yno. Mae Meredydd yn aelod yng nghapel Hebron er mai anaml y mae'n mynd yno yn ôl dynes y Tŷ Capel.

Mae neuadd yn y pentref hefyd ble byddai gweithgareddau'n cael eu cynnal. Mae'r nofel yn digwydd yn yr haf.

Yn y cyfnod hwn, nid oedd pawb yn mynd i goleg. Er ei bod yn ddigon galluog mae Einir yn dewis peidio mynd ymlaen i goleg.

4. Crynodeb o'r Stori

Stori wedi ei gosod ym Mhen Llŷn ydy'r nofel hon. Mae yma ddwy stori sy'n cydblethu'n glyfar.

Ar ddechrau'r nofel mae Meredydd yn y llys ym Mhenerddig wedi'i gyhuddo o dreisio Bethan Gwastad Hir ond 'dieuog' ydy dedfryd y rheithgor. Rhaid iddo wedyn wynebu pobl ei bentref yn Hirfaen, rhai fel Gladys Drofa Ganol (y ddynes sy'n byw drws nesaf iddo), Bethan a'i mam, Bet, Huw (ei brawd ymosodol) a phentrefwyr eraill sy'n ansicr ohono. Ond mae ganddo ffrindiau fel Gareth Hughes, y plismon lleol a Gwyndaf Pritchard, ei gyfreithiwr a gwraig Gwyndaf sef Margaret.

Yn fuan wedi cael ei ryddhau o'r llys mae'n mynd i westy'r Erddig ym Mhenerddig ble mae'n cyfarfod ag Einir. Mewn dim o dro maent yn dod yn gariadon er mawr sioc i Gladys!

Daw dechrau'r ail stori mewn prolog ar ddechrau'r nofel – CLADDU. Mae rhywun, sydd ddim yn cael ei enwi, yn claddu blwch mewn twll mewn cae ac yn cael damwain car yn syth wedyn. Rydym yn deall yn ddiweddarach mai Richard Jones ydy'r dyn a'i fod wedi dod yn ôl bum mlynedd yn ddiweddarach i chwilio am y trysor. Mae hefyd wedi dod i chwilio am hanes ei bartner, Harri Evans.

Mae ef yn yr ysbyty ym Mangor yn marw o gancr ac wedi gofyn am gael siarad â heddwas. Mae'n dweud wrth yr Arolygydd Emrys Roberts ei fod ef a dyn a alwai ei hun yn William Hughes wedi dwyn gwerth £25,000 o siop emau yn Wrecsam a'i fod ef wedi saethu'r siopwr nes bron â'i ladd. Yr unig arian gafodd Harri Evans oedd £2000 ac roedd 'William Hughes' wedi diflannu wedyn. Mae Harri Evans yn dweud ei fod wedi gweld ei hen bartner yr wythnos cynt pan oedd wedi dod i'r ysbyty i chwilio amdano. Mae bellach yn ddyn cloff ar ôl y ddamwain.

Yn awr gallwn weld sut mae'r ddwy stori'n dod yn un. Mewn cae yn Hirfaen mae Richard Jones (William Hughes) wedi claddu'r gemau. Byddai'n arfer mynd ar wyliau i Dan Ceris at ei fodryb pan oedd yn fachgen bach ac roedd yn adnabod y lle fel cefn ei law. Ond, er mawr sioc iddo, roedd stad tai Maes Ceris wedi ei hadeiladu ar yr union gae. Ar ôl astudio'r cynlluniau mae'n gweld bod y twll lle claddodd y gemau o dan sied yng ngardd Gladys – y drws nesaf i Meredydd. Wrth ei weld yn loetran yn ei gardd mae Gladys yn cael trawiad ar ei chalon ac mae'n marw.

Yn fuan wedyn mae Richard yn penderfynu mynd i gloddio am y gemau heb sylweddoli bod yr heddlu'n ei wylio. Pan mae e ar fin dadorchuddio'r blwch mae'n clywed llais y plismyn y tu allan i'r sied. Rhaid iddo ddianc. Ond ar y ffordd mae'n dod ar draws Dwalad, ci Now Tan Ceris ac mae'n cael brathiad cas ganddo. Mae'n llwyddo i fynd ychydig pellach ond mae'n mynd ar goll ac yn syrthio dros y clogwyn i'r môr.

Wrth weld yr heddlu'n chwilio am y corff mae atgofion chwerw o'r cyfnod pan gafodd ei dad ei golli yn y môr yn dod i Meredydd. Cafodd ei fam ei lladd yn y ddamwain ond rhoddodd yr heddlu'r gorau i chwilio am gorff ei dad. Mae Einir yn llwyddo i'w dawelu ac mae'r nofel yn gorffen ar nodyn ansicr ond hapus a Meredydd yn dal i geisio perswadio Einir i'w briodi.

5. Plot ac Adeiladwaith

Mae yma dair math o stori wedi eu cydblethu – stori dditectif, stori garu a stori gymdeithasol.

Stori Dditectif

NODWEDD	STORI DDITECTIF DRADDODIADOL	AC YNA CLYWODD SŴN Y MÔR
Datrys problem	Ran amlaf y dasg ydy datrys pwy sy'n euog. Bydd y ditectif yn darganfod yr ateb cyn y darllenydd.	Y cwestiwn ydy beth mae Richard Jones wedi ei wneud gyda'r gemau. Mae'r darllenydd yn gwybod cyn yr heddlu.
Y ditectif	Ran amlaf, dyma brif gymeriad ac arwr y stori.	Yr arolygydd sy'n gwneud gwaith ditectif ond nid yw yn brif gymeriad nac yn arwr.
Trefn	Ran amlaf, bydd y stori yn dechrau gyda'r drosedd ac yn gweithio'n ôl.	Mae'r drosedd, sef y dwyn wedi digwydd er pum mlynedd.
Darganfod y gwir	Ran amlaf, darganfod y gwir ydy'r uchafbwynt.	Mae'r heddlu'n darganfod ble mae'r diemwntau wedi cael eu cuddio ond yr uchafbwynt ydy ymdrech Richard Jones i ddianc.
Da a drwg	Mae'r cymeriadau yn ddu a gwyn – y ditectif a'r rhai sy'n ei helpu yn dda a'r troseddwr yn ddrwg.	Mae yma gymeriadau da a drwg ond dydyn nhw ddim yn hollol ddu a gwyn.

Stori Garu

Mae dechrau'r stori'n ddramatig. Mae Meredydd yn cael ei gyhuddo o dreisio Bethan. Stori serch drist yw hi ar y cychwyn ac mae yna elfen o amheuaeth am wirionedd stori Meredydd. Yna, mae'n cyfarfod ag Einir ac mae eu perthynas yn datblygu.

Stori Gymdeithasol

Ar yr wyneb mae'r disgrifiadau o'r pentref gwledig glan y môr yn syml ond mae yma feirniadaeth gymdeithasol ar bobl fel yr heddlu, ymwelwyr, siopwyr a phobl fusneslyd.

SUT MAE'R STRAEON YN CYDBLETHU?

Y Stori Garu

Meredydd yn cael ei ddyfarnu'n ddieuog o dreisio Bethan.
Cyfarfod ag Einir yng ngwesty'r Erddig.

Einir yn aros dros nos yn ei dŷ.
Crwydro'r ardal a nofio gyda'i gilydd.

Mynd i gyfarfod rhieni Einir ym Mhorthmadog.

Einir sy'n tawelu Meredydd pan mae'r plismyn yn ei wylltio.

Mae'n edrych fel pe baent am ddyweddïo rywbryd.

Meredydd yn cael atgofion chwerw o'r amser y
buodd ei dad ar goll yn y môr ac y cafodd ei fam ei lladd yn y ddamwain.

Richard Jones yn gobeithio cael gwybodaeth gan Meredydd gan ei fod yn gweithio i'r cwmni
gynlluniodd stad Maes Ceris.

Meredydd yn byw drws nesaf i Gladys ble'r oedd y diemwntau wedi cael eu claddu.

Yr heddlu
Gladys Drofa Ganol
Yr Wylan Wen
Trigolion y pentref

Y Stori Dditectif

Richard Jones yn claddu'r diemwntau.

Harri Evans yn marw o gancr mewn ysbyty ym Mangor.

Y diemwntau wedi eu claddu mewn cae ond nawr dan sied Gladys, Drofa Ganol, drws nesaf i dŷ Meredydd.

Richard Jones yn mynd i chwilio o gwmpas tŷ Gladys a hithau'n marw o drawiad calon wedi dychryn.

Richard Jones yn paratoi i gloddio am y gemau.

Gwneud hynny ond y plismyn yn ei ddal.

Dianc a syrthio dros y clogwyn i'r môr.

6. Cip ar y Cymeriadau

Meredydd Parri, y prif gymeriad. Dyn ifanc sengl, 25 oed. Mae'n gweithio fel pensaer yng nghwmni Idwal Roberts ym Mhenerddig. Mae'n byw ar stad Maes Ceris, y drws nesaf i Gladys Drofa Ganol.

Ar ddechrau'r nofel mae'n ceisio dod dros ddau ddigwyddiad sydd wedi effeithio arno sef trasiedi marwolaeth ei rieni mewn damwain pan aeth eu car i'r afon (y bont yn cael ei hatgyweirio ar y pryd) a helynt yr achos llys lle dyfarnwyd ef yn ddieuog o dreisio Bethan Gwastad Hir.

Mae'n dechrau canlyn gydag Einir ac yn syrthio dros ei ben a'i glustiau mewn cariad gyda hi.

Richard Jones. Mae tua deugain oed, yn gymharol dal a llydan ac mae ganddo wallt du syth a byr. Ei waith ydy prynu a gwerthu gemau. Ef ydy'r un sy'n claddu'r bocs ar ddechrau'r nofel. Yn y bocs roedd y gemau roedd e wedi eu dwyn o siop yn Wrecsam. Harri Evans oedd ei bartner bryd hynny. Mae Richard Jones yn cael rhyddhad o glywed bod Harri wedi marw yn yr ysbyty ym Mangor. Mae'n dod yn ôl i Hirfaen i nôl y gemau ac yn aros yng ngwesty Sant Aron. Galwodd ei hun yn William Hughes ar un adeg. Pan oedd yn blentyn byddai'n mynd ar wyliau at ei fodryb yn Tan Ceris. Mae'n byw nawr mewn fflat moethus yn Lerpwl

Gladys, Drofa Ganol. Mae'n byw yn Arwelfa, 23, Maes Ceris, y drws nesaf i Meredydd. Yn fuan wedi i'w gŵr, Wil, farw, cafodd rhieni Meredydd eu lladd ac ef gafodd sylw pawb yn yr ardal wedyn. Gwnaeth hyn hi'n eiddigeddus. Mae ei chalon yn wan.

Einir. 22 oed ydy hi. Mae ganddi wallt tywyll at ei hysgwyddau a llais a llygaid cynnes.

Ym Mhorthmadog mae cartref Einir ond gadawodd bum mis yn ôl am iddi dorri ei dyweddïad. Roedd yn arfer gweithio yn y Swyddfa Nawdd Cymdeithasol. Mae'n gweithio yn Yr Erddig erbyn hyn. Yno mae Meredydd yn ei chyfarfod gyntaf.

Teulu Gwastad Hir:

Robin Hughes, y tad. Yn wahanol i'w blant, dyn call a thawel ydy Robin Hughes.

Bet, y fam. Mae Bet yn credu celwydd Bethan o'r dechrau ac mae'n cael sioc pan mae Meredydd yn cael ei ddyfarnu'n ddieuog. Mae'n mynd i sterics fel Bethan ac mae'r achos yn ei heneiddio a'i siomi. Mae ei mam yn gyfnither i Gladys Drofa Ganol.

Bethan, eu merch

Huw, eu mab

Pobl sy'n mynd i dafarn Yr Wylan Wen:

Robin Williams, tafarnwr Yr Wylan Wen. Dyn clên sy'n adnabod ei bobl. Mae'n rhybuddio Meredydd bod Huw yn mynd i ymosod arno.

Now Tan Ceris sef Owen Jones. Roedd ganddo chwaer o'r enw Janet. Roeddynt yn ewythr a modryb i Richard Jones. Mae'n byw yn Nhan Ceris ac wedi gwerthu rhan o'r fferm i adeiladwr lleol i adeiladu stad Maes Ceris. Mae'n mynd i'r Wylan Wen am beint bob nos Iau.

Gwilym Siop Gig. Cigydd y pentref. Dyn tawel sydd byth am godi twrw.

Wil Garej neu Wil Drofa Isaf, perchennog y garej. Roedd yn ffrindiau pennaf gyda thad Meredydd. Dafydd yw ei fab.

Dafydd, Garej. Fel y gweddill yn y dafarn mae'n adnabod Bethan ac yn croesawu Meredydd yn ôl i'w plith.

Wil Aberaron. Hen fistar Now Tan Ceris. Mae'n dipyn o dynnwr coes.

Gareth Hughes. Plismon y pentref. Mae ganddo wraig ac un mab, Rhys, sy'n eithaf direidus. Mae'n adnabod ei bobl ac nid yw'n hoffi gweld neb yn cael cam. Mae'n boblogaidd.

7. Dadansoddiad o'r Prif Gymeriadau

MEREDYDD PARRI

FFEITHIAU

Dyn ifanc sengl, 25 oed ydy Meredydd. Mae'n gweithio fel pensaer yng nghwmni Idwal Roberts ym Mhenerddig.

Ar ddechrau'r nofel mae'n ceisio dod dros ddau ddigwyddiad sydd wedi effeithio arno:

a) Trasiedi marwolaeth ei rieni mewn damwain pan aeth eu car i'r afon
b) Helynt yr achos llys lle dyfarnwyd ef yn ddieuog o dreisio Bethan Gwastad Hir.

Mae'r dyddiau cyntaf ar ôl iddo gael ei ryddhau yn gymysgedd o hapusrwydd a siom i Meredydd. Mae'n cofio cael ei gam-drin yn y carchar yn Risley ac rydym yn cael gwybod ei fod wedi bod mor isel ei ysbryd yno fel ei fod wedi ystyried lladd ei hun.

Ar ôl tri mis o garchar mae'n gwerthfawrogi ei ryddid a chael gwneud pethau syml fel mynd am dro. Mae'n magu digon o hyder i fynd i siopau'r pentref ac i'r Wylan Wen ac mae croeso'r rhan fwyaf o'r rhai mae'n eu gweld yn codi ei galon. Ond mae agwedd Huw Gwastad Hir tuag ato yn argoeli'n ddrwg.

Y peth pwysicaf yn hanes Meredydd ydy cyfarfod ag Einir. Mae ei sgyrsiau cyntaf â hi yn dangos sut mae'r achos llys wedi effeithio arno. Mae pawb yn gwybod ei hanes ac er ei fod yn ddieuog mae arno ofn sut bydd Einir yn ymateb iddo. Daw dros ei swildod cyn hir ac mae'r stori garu rhyngddo ef ac Einir yn elfen ganolog ym mhlot y nofel.

Mae e'n dweud hanes boddi ei rieni wrth Einir ac o'r noson honno ymlaen mae'n llwyddo i ddod dros ddigwyddiadau cas ei orffennol. Dyma pryd rydym ni'r darllenwyr hefyd yn cael gwybod beth ddigwyddodd rhwng Meredydd a Bethan. Ar ôl iddo ef orffen gyda hi roedd Bethan wedi gwylltio ac roedd wedi curo ei chorff ei hun gyda brigau a dywedodd wedyn ei bod wedi cael ei threisio.

Hunandosturiol –
Cael ei frifo am fod cant o blismyn yn chwilio am gorff Richard Jones ond ni chafodd ef help i chwilio am ei dad.

Teimladwy –
Poeni am farn pobl eraill amdano. Pan gafodd ei ryddhau roedd yn teimlo rhyddhad. Ar ôl dweud hanes boddi ei rieni wrth Einir roedd yn poeni ei fod wedi ei brifo. Now yn dweud am Meredydd, 'Un o'r goreuon ... wnâi o fyth frifo neb.'

Cryf –
Siarad yn blaen ac yn onest yn y llys; 'Nid oedd wedi osgoi edrych ar neb ... wedi siarad yn dawel a di-lol heb osgoi unrhyw gwestiwn.'

Hoffus –
Pawb yn ei hoffi.

SUT BERSON YDY MEREDYDD?

Ffraeth –
Ymwybodol fod Gladys yn fusneslyd – mae'n dweud y byddai ganddi berisgôp yn ei harch ac mae am fynd i'r post eto 'tasa ddim ond i bryfocio'r hulpyn yna.'

Dewr –
Penderfynol o wynebu pobl y pentref er ei fod yn gwybod bod rhai yn ei erbyn.
Sefyll ei dir pan ddaeth wyneb yn wyneb â Huw.
Gwrthod dweud pwy oedd wedi ymosod arno.

Craff –
Adnabod pobl yn dda.
a) Richard Jones yn Yr Erddig. Gwybod ei fod yn holi i bwrpas ac mae Meredydd yn osgoi ateb ei gwestiynau.
b) Gladys. Dywed ei bod yn 'Hen grimpan o ddynas gegog, fusneslyd.'

Chwerw –
Mae'n ddig tuag at yr heddlu
a) Ar ôl cael ei gam-drin yng nghelloedd yr heddlu.
b) Am na pharhaodd yr heddlu i chwilio am gorff ei dad ond maen nhw'n benderfynol o ddod o hyd i gorff Richard Jones.

RICHARD JONES

FFEITHIAU

Richard Jones ydy gwrth arwr y nofel. Dyma ddyn drwg y nofel a does neb yn ei hoffi. Ond wrth i bethau droi yn ei erbyn ar ddiwedd y nofel mae'n anodd peidio â chydymdeimlo gydag ef.

Ef yw'r person cyntaf yr ydym yn ei gyfarfod yn y nofel ond ar y dechrau, person sinistr yn claddu blwch ydyw a does ganddo ddim enw.

Mae e tua deugain oed, yn gymharol dal a llydan ac mae ganddo wallt du syth a byr. Mae'n byw mewn fflat moethus yn Lerpwl a'i waith ydy prynu a gwerthu gemau.

Cafodd ysgariad dro yn ôl.

O ganlyniad i'r ddamwain ar Bont Aron mae'n gloff.

Mae ganddo atgofion hapus o'r gwyliau a dreuliodd yn Hirfaen pan oedd yn blentyn. Mae'n cofio chwarae pêl-droed, gwersylla a chwarae cowbois. Er ei fod yn edrych i lawr ei drwyn ar Now Tan Ceris ac ar Dan Ceris rydym yn cael yr argraff mai treulio gwyliau yma oedd yr unig gyfnod hapus a gafodd yn ei fywyd.

Hunanol a chreulon –
Twyllodd Harri Evans a'i berswadio, yn erbyn ei ewyllys, i gymryd rhan mewn gweithred dreisgar ac yna gadawodd ef heb ddim.

Caled –
Wrth feddwl am y cyfoeth mae wedi gorfod ei guddio mae'n rhoi'r bai i gyd ar Harri Evans am fod hwnnw, yn ei banig, wedi saethu'r siopwr. Does ganddo ddim cydymdeimlad â Harri Evans sy'n marw o gancr – yr unig beth sy'n bwysig iddo ydy ei fod yn marw. Mae'n falch o glywed am farwolaeth Gladys hefyd er mai'r sioc o'i weld ef achosodd hynny.

Cynlluniwr gofalus –
Mae'n gwneud popeth yn fanwl ac yn ofalus e.e. claddu'r gemau. 'Gorffennodd y gwaith gyda'r un gofal a thrylwyredd ag a ddangosodd drwyddi draw.'

SUT BERSON YDY RICHARD JONES?

Clyfar –
Meddai'r Arolygydd, 'Mae dyn sy'n dwyn gwerth pum mil ar hugain o sdwff ac yn saethu dyn bron yn farw wrth wneud hynny, ac yn osgoi cael ei ddal, yn ddyn clyfar, clyfar iawn. Yn rhy glyfar i gael ei ddyrnu.'

Dyn gyda theimladau –
Dyma'r dyn a welwn ar ddiwedd y nofel. Wrth iddo weithio yn y sied mae'n mynd o un emosiwn i'r llall – mae'n cael ei siomi, mae'n gwylltio, mae'n blino, mae'n digalonni. Pan deimla'r blwch o dan ei fysedd mae'n crynu ac yna'n crio mewn rhyddhad a llawenydd. Ond o fewn eiliadau, wrth iddo glywed lleisiau'r heddlu, mae'r hapusrwydd yn troi'n ofn.

Penderfynol –
Nid yw'n torri ei galon pan mae'n darganfod fod y gemau wedi eu claddu dan sied Gladys. Mae'n dyfeisio cynllun i gloddio yn y sied heb i neb ei weld. Mae hefyd yn benderfynol o ddianc rhag yr heddlu.

Cyfrwys –
a) Defnyddio pobl i'w ddibenion ei hun e.e. Harri Evans. Nid yw'n rhoi ei enw iawn iddo.
b) Rhaffu celwyddau pan mae'n ffonio'r ysbyty.
c) Gwylio tŷ Gladys o ben mynydd gyda sbienddrych.
ch) Meddai Einir, 'Hen ddyn rhyfadd ydy o. Mae na rywbeth oer yn chwara i fyny ac i lawr asgwrn y nghefn i bob tro mae o'n agos.' Meredydd yn dychmygu ei fod yn 'datod gwisg Einir fesul botwm yn ei feddwl wrth iddo edrych arni'.
d) Pan ddaw i wybod mai pensaer ydy Meredydd mae'n ei holi'n dwll i gael gwybodaeth am stad Maes Ceris.
dd) Mae'n ymweld â Now Tan Ceris i gael gwybodaeth ond mae ef yn gweld trwyddo hefyd, fel Meredydd.

GLADYS DROFA GANOL

FFEITHIAU

Mae'n byw yn Arwelfa, 23, Maes Ceris, y drws nesaf i Meredydd. Bu ei gŵr, Wil, farw rhyw bum mlynedd yn ôl. Rydym yn cael gwybod yn ei hangladd mai ei rheswm dros gasáu Meredydd oedd bod ei rieni ef wedi marw yn fuan iawn ar ôl ei gŵr hi a bod Meredydd wedi dwyn y sylw oddi arni hi.

SUT BERSON YDY GLADYS?

Lladd ar bawb – 'hen ddiawl bach drwg' (am fab y plismon), 'hen lipryn', 'y llarpad', 'yr anghenfil hyll' am Meredydd.

Busneslyd – Barnu pawb heb wybod y ffeithiau – ymateb yn eithafol i'r newydd am ryddhau Meredydd – syrthio'n ôl i'w chadair mewn sioc, ei cheg ar agor a glafoer yn rhedeg ohono; meddwl mai 'hwran' ydy Einir.

Siaradus – 'siarad wnaiff honno ... siarad a siarad a siarad nes y stopith y dwarchan hi.'

Plentynnaidd – anwybyddu Meredydd yn llwyr ac yntau'n byw drws nesaf iddi.

Neb â gair da iddi – 'hen gnawas flin' meddai mab y plismon, 'hen grimpan o ddynas gegog, fusneslyd'. 'Ma'i gŵr hi wedi marw ers dros flwyddyn. Y peth calla ddaru'r diawl gwirion erioed.' (Meredydd wrth Einir)

Cwynfanllyd – a) Mynd at Gareth Hughes, y plismon i ddweud ei chŵyn yn aml, 'Deuai cwyn bron yn fisol am rywbeth neu'i gilydd byth er pan fu ei gŵr farw.' b) Cwyno am ei hiechyd.

Unig – Neb yn mynd i'w gweld. Does ganddi ddim teulu agos a does neb yn gweld ei cholli yn ei hangladd. 'Ar ruddiau heddwas Hirfaen y disgynnodd yr unig ddagrau yng nghynhebrwng Gladys Davies'. Chwerthin ar ben jôc gan Now y mae'r plismon.

EINIR

FFEITHIAU

Ym Mhorthmadog mae cartref Einir ond gadawodd bum mis yn ôl am iddi dorri ei dyweddïad. Roedd yn arfer gweithio yn y Swyddfa Nawdd Cymdeithasol. Mae'n gweithio yn Yr Erddig erbyn hyn. Yno mae Meredydd yn ei chyfarfod gyntaf.

22 oed ydy hi. Mae ganddi wallt tywyll at ei hysgwyddau a llais a llygaid cynnes.

Ei phrofiad anffodus o dorri dyweddïad sy'n gwneud iddi ddal yn ôl yn ei pherthynas â Meredydd ond mae'n amlwg ei bod mewn cariad ag ef.

SUT BERSON YDY EINIR?

Gonest –
a) Mae'n cyfaddef ei bod yn gwybod hanes yr achos llys.
b) Mae hefyd yn cyfaddef wrth Meredydd ei bod wedi holi merched y gegin yn Yr Erddig amdano.

Hwyliog a llawn hiwmor –
a) Mae'n pryfocio Meredydd trwy ddweud mai Veronica Maud ydy ei henw ac mae'n methu peidio â chwerthin wedyn.
b) Roedd ganddi 'lygad chwerthinog' pan gyfarfu Meredydd â hi gyntaf.
c) Ar y traeth roedd ei llais yn 'chwerthinog'.
ch) Gall fod yn ffraeth e.e. 'Mi ferwa i wy wedi ffrio i ti.'

Annwyl a llawn cydymdeimlad –
Pan ddywed Meredydd hanes boddi ei rieni wrthi mae'n rhedeg i'r ystafell molchi ac yn crio. Daw yn ôl i'r gwely at Meredydd ac 'mae ei llaw yn chwilio am ei law ef.'

Cyfeillgar –
Pan mae Meredydd yn ei chyfarfod gyntaf mae'n hoffi'r 'agosatrwydd yn ei llais' a 'Dyma'r tro cyntaf ers talwm i neb dieithr beidio â'i alw'n chi.'

GARETH HUGHES

FFEITHIAU
Plismon pentref traddodiadol. Mae ganddo wraig ac un mab, Rhys, sy'n eithaf direidus.

Deall ac adnabod pobl ei bentref –
a) Yn barod i ymateb i sterics Bethan yn y llys.
b) Wedi hen arfer clywed cwynion Gladys, 'Deuai cwyn bron yn fisol am rywbeth neu'i gilydd byth er pan fu ei gŵr farw.'
c) Pobl y pentref yn ymddiried ynddo ac yntau'n cael gwybodaeth ganddynt heb drio e.e. cael gwybod gan Now pwy ydy Richard Jones.

Hwyliog –
a) 'Ar ruddiau heddwas Hirfaen y disgynnodd yr unig ddagrau yng nghynhebrwng Gladys Davies.' – Gareth yn chwerthin ar ben stori Now Tan Ceris am ŵr Gladys a'r fuwch!
b) Mae'n chwerthin wrtho'i hun wrth gofio am y rhingyll blin yn gwylltio'n gacwn ar y ffôn am ei fod yn gwrthod dweud yn iawn sut y cafodd wybod pwy oedd Richard Jones.

SUT BERSON YDY GARETH HUGHES?

Mae ganddo gydwybod –
Mae'n credu Meredydd a dydy ef ddim yn ei wawdio yn y gell. Mae arno gywilydd bod plismyn eraill wedi cam-drin Meredydd.

Amyneddgar –
a) Mae'n gorfod aros am amser i Huw ddod ato'i hun.
b) Nid yw'n gwylltio gyda Gladys er ei bod yn mynd ato i gwyno o hyd.

Nid yw'n uchelgeisiol –
Mae'n dweud ei feddwl yn blaen wrth blismyn sy'n uwch eu safle nag ef.

Casáu gweld pobl yn cael cam –
Mae'n gwybod fod Meredydd yn ddieuog ac mae'n benderfynol na wnaiff Huw ymosod arno eto. Mae ganddo ddigon o asgwrn cefn i ymosod ar Huw ei hun a'i ddal yn gyrru car wedi meddwi.

NOW TAN CERIS

FFEITHIAU

Bu'n was ar fferm Aberaron am hanner ei oes. Ar ôl i'w frawd-yng-nghyfraith fynd yn wael daeth yn ôl adref i ffermio Tan Ceris. Pan fu farw ei chwaer, Janet, bedair blynedd yn ôl gwerthodd y tir i gyd, ac ar y rhan isaf cafodd stad Maes Ceris ei hadeiladu. Cafodd arian mawr am y tir.

Roedd Mari, mam Richard Jones yn gyfnither iddo.

Tynnwr coes – Dweud wrth griw Yr Wylan Wen bod Richard Jones yn perthyn iddo a'i fod wedi dod yno i 'geisio cael gwybod faint sy gen i i'w adael ar f'ôl iddo.' Hyn yn codi cywilydd ar Richard Jones. Pryfocio Richard trwy ddweud y gallai fynd i'r gwely at Gladys a'i bod yn 'beth wyllt'.

Call a chraff – Mae Now yn gweld trwy Richard Jones o fewn dim ac mae ei siarad plaen yn gwneud i'r dieithryn deimlo'n anesmwyth iawn; '... nid gwladwr syml a eisteddai o'i flaen ond dyn â meddwl a thafod fel rasal.'

SUT BERSON YDY NOW?

Dyn ei ardal – Daw ei wybodaeth am yr ardal a'r bobl sy'n byw yno i'r amlwg yn angladd Gladys.

Deddfol – 'Am ugain munud i chwech bob nos Iau fe fyddai Now Tan Ceris yn mynd am beint' a '... bob prynhawn Iau fe ddeuai ... i gael ei bensiwn a'i neges, ei betrol a'i beint ... cerdded a wnâi Now ar nos Sadwrn.'

Llawn hiwmor – Yn y fynwent adeg angladd Gladys dywed fod Gladys ddeuddydd yn hŷn nag ef ond 'tawn i'n gwbod be oedd newydd ddŵad o 'mlaen i mi fyddwn wedi aros lle'r oeddwn i.'

ROBIN HUGHES, GWASTAD HIR

FFEITHIAU
Mae'n casáu'r ffaith fod ei blant yn achosi cymaint o sôn amdanynt eu hunain. Roedd yn amau bod ei ferch yn dweud celwydd ynglŷn â chael ei threisio oherwydd roedd yn newid ei stori o hyd. Erbyn diwedd y nofel mae'n teimlo'n hapusach am fod Bethan wedi callio ychydig ond does ganddo ddim amynedd gyda'i fab.

SUT BERSON YDY ROBIN?

Teimladwy –
Wedi ei siomi yn Bethan a Huw am eu bod yn gwneud cymaint o sôn amdanynt eu hunain.

Gonest –
Mae am i'r teulu wynebu'r gwir, 'Mae'n amsar deud y gwir yma. Mi wyddoch o'r gora nad oedd ond 'chydig o fai, os oedd 'na o gwbl, ar yr hogyn 'na'.

Cyfeillgar –
Gyda Meredydd pan ddaeth i dŷ Gladys y bore y bu farw.

BETHAN GWASTAD HIR

FFEITHIAU

Merch dlos gyda gwallt hir, tywyll. Hi sy'n achosi'r holl helynt i Meredydd ar ôl iddo orffen gyda hi. Mae'n dweud ei fod wedi ei threisio ond celwydd ydy hynny. Erbyn diwedd y nofel mae'n canlyn gyda Gwyn Llefrith ac wedi callio.

SUT BERSON YDY BETHAN?

Gwirion –
Meddai Now amdani, 'Hen beth wirion ydy honno. Tynnu ar ôl ei mam. Mi fydda honno'n dangos ei chlunia i rywun wela hi pan oedd hi'n ifanc, ond y funud y trïa rhywun hi mi fydda'i chân hi'n newid.'

Mewn helynt o hyd –
Cofia ei thad am yr adegau eraill mae Bethan wedi bod mewn helynt gyda bechgyn eraill, 'Yr oedd wedi anghofio faint o weithiau roedd hi wedi bod mewn rhyw helynt neu'i gilydd gyda hogiau Hirfaen neu Lanaron, a rhai Penerddig hefyd petai'n mynd i hynny.'

Cael sterics a phwdlyd –
a) Sgrechiodd yn y llys pan gafodd Meredydd ei ddyfarnu'n ddieuog ac aeth Gareth Hughes â hi allan.
b) Amser cinio yn Gwastad Hir mae'n gorwedd ar y soffa yn y gegin orau 'yn gori ar ei surni'. Mae'n dilyn ei brawd 'yn sorllyd' i'r gegin. Yno mae'n 'pigo bwyta'. Wedi i'w thad ddweud y gwir wrthi mae'n codi gan 'gicio'r gadair o'r ffordd' ac yn rhuthro i'w llofft ble mae'n 'gweiddi crio'.

HUW GWASTAD HIR

FFEITHIAU

Mae'n naw ar hugain oed, mae ganddo wallt cyrliog ac mae'n gadarn ac yn gyhyrog.

Mae ganddo dymer blin.

Ar ôl iddo hanner lladd Meredydd mae'n cael cweir/cosfa gan Gareth Hughes a dyna sydd ei angen arno yn ôl y dynion yn y dafarn, 'Isio diawl o gweir sydd arno fo.'

Mae'n cael ei wahardd o'r Wylan Wen ar ôl ymosod ar Meredydd ac mae hynny'n sobri tipyn arno. Mae'n cael hanner tŷ Gladys yn ei hewyllys a £300 ac mae'n mynd allan i yfed yn wirion. Wedi ei ddyrnu gan Gareth Hughes mae'n cael ei ddal yn yfed a gyrru.

Gwyllt –
Gweld Meredydd ac Einir yn cusanu tu allan i'r Erddig yn ei gynddeiriogi. Gwyllt bob amser ond yn waeth yn ei ddiod – fel pan mae'n ymosod ar Meredydd. Dywed Robin Williams, tafarnwr Yr Wylan Wen, 'Mae o'n mynd yn wirion bost yn ei ddiod ac mae o'n hen uffar slei.'

Meddwl ei hun –
'Swagro' i mewn i'r car yn y garej a 'sgrialodd y car' oddi yno gyda Huw yn 'ysgwyd i'w wneud ei hun yn fwy cyfforddus' yn y car.

SUT BERSON YDY HUW?

Slei –
Meddai Robin, tafarnwr Yr Wylan Wen amdano, 'Mae o'n mynd yn wirion bost yn 'i ddiod, ac mae o'n hen uffar slei.'

Dim parch ac anghwrtais –
Yn Sant Aron noson cyn angladd Gladys mae'n gweiddi ar y ferch tu ôl i'r bar, 'Wyt ti ddim yn clywad yr hwran? Doro wisgi i mi reit blydi handi.'

Bygythiol –
Siarad yn fygythiol
a) Yn y llys wedi i Meredydd gael ei ryddhau, 'Y cachgwn. Y ffernols clwyddog. Tasa gennych chi ferch y diawliaid ...'
b) Yn y garej gyda Meredydd, 'Aros di'r bastad. Aros di. Rwyt ti'n mynd i'w chael hi. Ei chael hi go iawn.'

8. Prif Themâu'r Nofel

Thema Cariad

Trwy'r nofel mae perthynas Einir a Meredydd yn blodeuo. Mae'r naill yn gefn i'r llall wedi'r cyfnodau anodd maen nhw wedi bod trwyddynt – tor dyweddïad Einir a'r cyhuddiad yn erbyn Meredydd.

PENNOD 4

Cyfarfod yn Yr Erddig.

Mae'r ddau'n sgwrsio a'r sgwrs 'yn mynd braidd yn rhy bersonol' ym marn Meredydd. Mae'n magu digon o hyder i ofyn iddi fynd allan am fwyd gydag ef y noson honno ac mae'n cael sioc ei bod hi'n cytuno. Mae Idwal Roberts, cyflogwr Meredydd, a'i wraig yn dod heibio ac mae Meredydd ac Einir yn cael eu gwahodd i fwyta gyda nhw.

PENNOD 6

Yn Yr Erddig

Ar ôl y sioc o ddod wyneb yn wyneb â Bethan a'i mam mae Meredydd yn mynd i'r Erddig at Einir i gael cysur. Mae hi'n deall ei fod wedi dod i'r Erddig o ddewis, 'Sawl caffi yr aethost ti heibio iddyn nhw cyn dod yma?'

Yn nhŷ Meredydd

Y noson honno mae Einir yn mynd i dŷ Meredydd am y tro cyntaf ac yn paratoi swper iddo. Wedyn maent yn cerdded Llwybr Uwchlaw'r Môr. Mae Meredydd yn dangos ffermydd yr ardal iddi ac yn egluro pa bysgod sy'n cael eu dal ac mae hithau'n siarad am ei chefndir. Mae'r ddau'n dod i adnabod ei gilydd ac am y tro cyntaf maent yn gafael yn llaw ei gilydd ac 'edrychodd y ddau ym myw llygaid ei gilydd am ennyd.'

PENNOD 8

Ar y traeth

Mae'n Sadwrn braf ym mis Mehefin – bedair wythnos union ar ôl i Einir a Meredydd gyfarfod. Erbyn hyn roedd Meredydd 'dros ei ben a'i glustiau mewn cariad a byddai'n ei gweld rhyw ben bob dydd.' Mae'r ddau'n cael hwyl yn chwarae yn y dŵr ac maent yn cusanu.

Yn nhŷ Meredydd

Cyn bwyta te mae'r ddau yn mynd i'r llofft ac 'yn disgyn yn noeth ar y gwely ac yn caru'n wyllt.' Mae Meredydd yn gwirioni am fod Einir yn cytuno i aros gydag ef dros y

Sul. Maent yn mynd yn ôl i'r traeth i ymdrochi cyn diweddu'r noson yn yr Wylan Wen. Mae Einir yn un o griw'r dafarn honno bellach.

Y noson honno – nos Sadwrn
Dywed Meredydd hanes boddi ei rieni a hanes Bethan wrth Einir. Mae'n gallu ymddiried ynddi. Mae Einir yn dangos cydymdeimlad a dealltwriaeth. Einir ydy'r unig ferch y mae Meredydd yn gallu 'rhannu popeth, pob teimlad, pob profiad â hi.'

PENNOD 9
Pnawn Sul
Ar ôl cael rhyw mae Einir yn gofyn i Meredydd fynd â hi i gyfarfod ei rhieni. Yn y car mae Meredydd yn gofyn iddi ddyweddïo ac mae hi'n gwrthod am ei bod 'wedi cael un ail' (siom) a 'dydy mis ddim yn ddigon o amser'.

PENNOD 12
Pan fo'r plismyn yn chwilio am Richard Jones
Wrth fynd am dro i'r mynydd mae Meredydd yn gwylltio'n gacwn gyda'r plismyn am ei rwystro. Mae Einir yn ei ddeall ac yn ei dawelu. Y noson honno maent yn mynd am dro ar hyd y traeth 'a'u bysedd yn chwarae â'i gilydd'. Mae Meredydd yn gofyn iddi ddyweddïo eto a hithau'n gwrthod am mai dim ond pum wythnos sydd ers iddynt gyfarfod. Mae'r nofel yn gorffen gydag Einir yn gofyn i Meredydd fynd â hi i Borthmadog drannoeth ac yntau'n gofyn iddi hi fynd i siop fodrwyau ym Mhenerddig gydag ef ddydd Llun.

Thema Rhagrith

PENNOD 1
Disgrifiadau o'r barnwr a'r bargyfreithiwr fel pobl rhagrithiol
Mae'r Barnwr wedi diflasu yn y Llys ac ar bigau'r drain eisiau mynd adref. Yno i wneud ei waith y mae ef. Mae Meredydd yn casáu'r 'bustach'. 'Wnest ti ddim dadlau fy achos o gwbl, dim ond defnyddio dy glyfrwch cyfoglyd i ddangos dy hun i'r holl bobl yma ... y llo cors.'

Person oeraidd yw'r bargyfreithiwr ond mae e'n meddwl ei fod yn bwysig iawn. Mae'r Barnwr wedi gweld trwyddo. Mae'n ei alw'n 'fargyfreithiwr drama' ac yn 'gyw mul'. Nid yw'n credu bod Meredydd yn ddieuog er ei fod yn ei amddiffyn.

PENNOD 2

Yn siop Harri Jôs

Wedi cael ei ryddhau mae Meredydd yn magu digon o hyder i fynd i'r pentref i siopa. Mae e'n mynd i siop Harri Jôs ond nid yw'r siopwr 'yn rhy gyfeillgar' ar y dechrau ond mwya'n y byd y mae Meredydd yn ei wario lleia euog yw e yng ngolwg y siopwr. Erbyn y diwedd pan 'oedd y bil yn anferth. Ni fu neb erioed yn fwy dieuog.'

Yn eironig iawn, y person lleiaf rhagrithiol yn y nofel ydy Gladys Drofa Ganol. Nid yw byth yn cuddio ei theimladau e.e. yn siop Harri Jôs ac yng nghlyw Meredydd dywed, 'Ond mae'r Bod Mawr yn mynd â phobl dda o'r byd yma'n tydi ac yn gadael i giaridyms grwydro'r lle 'ma fel mynnon nhw.'

PENNOD 10

Yn angladd Gladys

Yma mae Now yn gwneud hwyl ar ben yr holl gonfensiwn o gladdu. 'Wyt ti wedi gwneud lle go daclus iddi Robin? Go brin y bydd hi'n cwyno.' Mae'n smocio yno ac yn hanner eistedd ar garreg fedd.

Mynd i'r angladd o ran dyletswydd y mae pawb a does neb yn wir drist wedi marwolaeth Gladys.

PENNOD 12

Y plismyn yn chwilio am Richard Jones

Pan mae'r plismyn yn chwilio am Richard Jones mae Meredydd yn dweud yn goeglyd, 'Dim ond blydi plismyn fyddai'n ddigon dwl i chwilio ochre mynydd am ddyn wedi boddi yn y môr.' Mae hyn yn corddi Meredydd oherwydd pan foddodd ei dad rhoddodd y plismyn y gorau i chwilio amdano.

Pan mae'r plismon yn ceisio rhwystro Einir a Meredydd rhag mynd am dro rydym yn cael darlun o blismon hunan bwysig ac awdurdodol. Mae Meredydd yn gwylltio ac mae'n edliw i'r plismyn yr holl bethau rhagrithiol maent wedi eu gwneud iddo ef e.e. 'Ble' roeddech chi ddwy flynedd yn ôl y diawliaid? Mi fu 'ma foddi'r adag honno hefyd.' a 'Be sy mor arbennig am hwn? Wedi treisio rhywun mae o?'

Y Cyfryngau

Rydym yn cael golwg 'ylwch-pwy-ydw-i' ar y dyn teledu ac mae'r awdur yn ei wawdio trwy ddweud, 'Byddai cyfweliad â'r Bobl A Oedd Yn Byw Yn Y Tŷ Drws Nesaf i'r Tŷ Y Cyflawnwyd Y Drosedd Ynddo yn sgŵp.' Dyn rhagrithiol yw a'r unig beth sydd ar ei feddwl yw cael dyrchafiad, 'efallai y câi fynd yn bennaeth rhaglenni.'

Thema Marwolaeth

Gan fod y nofel yn rhoi darlun o gymdeithas mae'n naturiol fod yma gyfeiriadau at farwolaethau. Mae pobl o bob oedran yn marw ac am wahanol resymau.

CYN DECHRAU'R NOFEL

1. Mae rhieni Meredydd yn boddi yn yr afon. Oherwydd y ddamwain y bu farw mam Meredydd ond roedd ei dad wedi cael trawiad ar ei galon. Roedd corff tad Meredydd wedi ei gario allan i'r môr ac mae hyn yn cysylltu â marwolaeth Richard Jones. Syrthio i'r môr wnaeth ef.
2. Mae Gladys yn cyfeirio'n gyson at ei gŵr, Wil, a fu farw gan ei gadael yn unig. Marw'n naturiol wnaeth ef.

PENNOD 4

Marwolaeth Harri Evans

Mae Harri Evans yn marw o gancr yn yr ysbyty. Rydym yn cael disgrifiadau graffig o'i gyflwr corfforol truenus.

PENNOD 8

Marwolaeth Gladys

Mae Gladys Davies yn marw o drawiad ar y galon wrth iddi wylio Richard Jones yn busnesa yn ei sied.

PENNOD 11

Mae Richard Jones yn marw mewn dull creulon iawn wrth iddo ddisgyn i'r môr. Mae hyn yn digwydd ar ddiwedd y nofel ac mae'n cysylltu â marwolaeth rhieni Meredydd.

Thema Cyfraith a Threfn

CYN DECHRAU'R NOFEL

Mae Meredydd wedi cael bai ar gam. Cafodd Meredydd ei gyhuddo o dreisio Bethan Gwastad Hir ond roedd yn ddieuog

PENNOD 1

Disgrifiadau o'r Barnwr a'r bargyfreithiwr fel pobl dau wynebog

Yng ngolygfa'r llys mae beirniadaeth ar y rhai sydd i fod i weithredu cyfiawnder. Dyn sy'n ei roi ef ei hun yn gyntaf ydy'r bargyfreithiwr ac ar ôl rhoi perfformiad clyfar yn y llys mae'n gadael heb ddweud fawr ddim wrth Meredydd. Gwneud ei waith y mae'r Barnwr ac mae ar bigau'r drain eisiau mynd adref.

PENNOD 2

Y ffordd y cafodd Meredydd ei drin gan yr heddlu

Mae Meredydd yn cofio sut y cafodd ei drin yn ffiaidd gan yr heddlu – yr union rai sydd i fod i gynnal cyfraith a threfn.

Pan mae'n cyrraedd adref o'r llys mae'n gweld y llanast sydd yn ei gartref ar ôl i'r heddlu fod yn chwilota. Bu'r heddlu trwy'r tŷ fel corwynt yn chwilio am lyfrau neu gylchgronau budr/brwnt ac mae Meredydd yn gwybod, pe baen nhw wedi ffeindio un, y byddai ar ben arno.

PENNOD 3

Hanes y lladrad yn y siop emau yn Wrecsam

Rydym yn cael hanes Richard Jones a'i 'gyfaill' Harri Evans yn dwyn o siop emau yn Wrecsam. Wedi'r lladrad, pan cafodd perchennog y siop ei saethu, mae Richard Jones yn claddu'r gemau mewn cae. Prif nod y nofel ydy dod o hyd i'r gemau.

Yn yr achos yma mae'r heddlu'n bobl 'dda'. Ef ydy'r dyn drwg ac mae'r heddlu'n ceisio ei ddal.

PENNOD 12

Chwilio am Richard Jones

Ar ddiwedd y nofel rydym yn gweld pa mor hunan bwysig y gall yr heddlu fod. Mae eu hymdrech i ddarganfod corff Richard Jones yn gwylltio Meredydd oherwydd wnaethon nhw fawr ddim i chwilio am gorff ei dad ef. Mae'n dangos ei chwerwder drwy ddweud ei fod e'n synnu atyn nhw yn chwilio ar ben mynydd am ddyn sydd wedi boddi.

Thema Gwrthdaro

PENNOD 1

Cymry a Saeson

Rydym yn cael sylw coeglyd a siarp am Saeson yn dod i'r ardal gan Now Tan Ceris, '... rwyt ti'n rhedeg digon i Saeson.'

PENNOD 2

Meredydd a'r heddlu

Mae Meredydd yn cael ei drin yn annheg gan yr heddlu pan oedd yn y ddalfa a phan oedd yn y carchar yn Risley. Mae cofio hynny yn ei wneud yn sur.

Pan mae'n dychwelyd i'w gartref wedi iddo gael ei ryddhau mae'n gynddeiriog o weld fod yr heddlu wedi archwilio'r tŷ a'i adael mewn llanast.

Meredydd a phobl y pentref

Pan mae Meredydd yn cael ei ryddhau mae'n wynebu pobl y pentref. Ar y dechrau nid yw'n cael llawer o groeso gan Harri Jôs, 'Nid oedd yn rhy gyfeillgar, rhag ofn'. 'Sych ofnadwy' yw'r postfeistr.

Gladys a Meredydd

Mae Gladys yn credu bod Meredydd yn euog o dreisio Bethan ac mae'n gwneud hynny'n amlwg. Yn siop Harri Jôs, yng ngŵydd Meredydd, mae'n dweud, 'Ond mae'r Bod Mawr yn mynd â phobl dda o'r byd yma'n tydi ac yn gadael i giaridyms grwydro'r lle 'ma fel mynnon nhw.'

Mae Gladys yn casáu Meredydd am fod ei rieni wedi marw yr un pryd â'i gŵr ac fe gollodd sylw pobl oherwydd hyn.

Meredydd a Huw yn y garej

Mae Huw yn gymeriad ymosodol iawn ac yn benderfynol o ddial ar Meredydd. Yn y garej mae Huw'n bygwth Meredydd, 'Aros di'r bastad. Aros di. Rwyt ti'n mynd i'w chael hi' a rhoddodd ei ben-glin yn nrws y car.

Meredydd a Huw gyda'r nos

Pan mae Meredydd ar ei ffordd adref o'r Wylan Wen un noson mae Huw'n ymosod yn gïaidd arno gan ei ddyrnu a'i gicio'n anymwybodol.

Teulu Gwastad Hir

Rydym yn cael disgrifiad gwych o'r awyrgylch wrth y bwrdd yn Gwastad Hir. Mae'n llawn tyndra a gwrthdaro. Mae Robin yn cyhuddo Bethan, sydd yn ei dagrau, o fod ar fai. Mae hithau'n sgrechian ac yn rhuthro i'r llofft, Bet yn crio a Huw a'i dad yn gweiddi ar ei gilydd. Mae'r olygfa'n cloi'n effeithiol gyda'r geiriau, 'Cau dy geg. Cauwch eich cega, y blydi lot ohonach chi.'

PENNOD 4

Cymry a Saeson

Mae yna awgrym o wrthdaro rhwng Cymry a Saeson yn yr olygfa yn Yr Erddig pan mae Sais yn dod at y bar. Mae Meredydd yn clywed 'pesychiad bach **pwysig** Saesneg wrth ei ochr' ac mae'r dyn yn gwneud sylwadau am yr olwg sydd ar Meredydd. Mae

Einir yn siarad ag ef fel ci ond, wrth gwrs, nid yw'r Sais yn deall. Mae'n ei alw ef yn 'Pero' ac mae'r ferf 'chwyrnu' yn ategu'r syniad o gi.

PENNOD 5

Gladys a'r heddlu

Mae Richard Jones bron â tharo Gladys i lawr ger ei chartref. Mae hi'n mynd at Gareth Hughes i gwyno bod rhywun bron â'i lladd. Mae Gareth wedi hen arfer gyda'i chwynion, 'Deuai cwyn bron yn fisol am rywbeth neu'i gilydd'. Mae gwrthdaro geiriol yma wrth i Gladys feirniadu'r heddwas yn ei wyneb.

PENNOD 6

Meredydd ac Einir yn gwrthdaro gyda Richard Jones yn Yr Erddig

Mae holl gwestiynu Richard Jones yn yr Erddig yn mynd o dan groen Meredydd ac mae'n penderfynu holi Richard Jones yn ôl. Mae Einir yn casáu Richard Jones hefyd. Pan mae Richard yn dod at y bar, 'Yr oedd ei llais [Einir] yn oer a gwelodd Meredydd ryw her sydyn yn dod i'w llygaid'. Mae Einir yn cyfaddef wrth Meredydd, 'Mae 'na rywbeth oer yn chwarae i fyny ac i lawr asgwrn 'y nghefn i bob tro mae o'n agos.'

PENNOD 7

Now a Richard Jones yn Nhan Ceris

Pan mae Richard Jones yn mynd i Dan Ceris i holi Now am stad Maes Ceris mae Now'n gweld trwyddo mewn dim. 'Wel aros di, Pero, wn i ddim be ydy dy fwriada di ond mi gaf beint neu ddau ar dy gorn di cyn nos,' meddai.

Now a Richard Jones yn Yr Wylan Wen

Yn Yr Wylan Wen mae Now'n gwneud i Richard deimlo'n fach. 'Aeth wyneb Richard bob lliw' pan mae Now'n dweud bod Richard wedi dod yno i weld faint o arian fyddai'n ei gael ar ei ôl.

PENNOD 10

Huw a Meredydd

Y noson y mae Huw'n mynd i Sant Aron i ddathlu ei fod wedi etifeddu arian a hanner tŷ ar ôl Gladys mae Huw am ymosod ar Meredydd eto. Mae'n dweud wrth berchennog Sant Aron, 'Rhwng Anti Gladys a Meredydd Parri mi fydd hers Wil Garej yn brysur ar y diawl'.

PENNOD 12

Meredydd a'r heddlu

Pan mae Meredydd ac Einir yn ceisio mynd i weld Now Tan Ceris y diwrnod y mae'r heddlu'n chwilio am Richard Jones maent yn cael eu rhwystro gan yr heddlu. Mae holl gynddaredd Meredydd tuag atynt yn dod i'r amlwg. Mae ganddo ddau reswm – maent wedi ei drin yn ffiaidd am eu bod yn ei amau o dreisio Bethan ac mae'r heddlu wedi rhoi'r gorau i chwilio am gorff ei dad. Bu'n rhaid iddo wneud hynny ei hun.

Thema Gwerth Cymdeithas

Mae sawl enghraifft o gymdeithas glòs, gefnogol yn y nofel. Aelodau'r gymdeithas honno, yn ogystal ag Einir, sy'n helpu Meredydd i ddod dros ei brofiadau a'r annhegwch a gafodd.

PENNOD 1

Gwyndaf Pritchard a Margaret, ei wraig

Pan mae Meredydd yn cyrraedd adref ac yn gweld ei dŷ 'a'i din am 'i ben' mae'n ffonio Gwyndaf, ei gyfreithiwr ac mae hwnnw'n esbonio'r sefyllfa. Yna mae Margaret, sydd hefyd yn chwaer i fam Meredydd, yn dod i'w helpu. Mae Meredydd yn teimlo'n well wedyn.

Criw'r Wylan Wen

Er i Meredydd feddwl efallai na fyddai croeso iddo yn yr Wylan Wen mae'r hwyl a'r tynnu coes yn gwneud lles iddo. Mae'r diodydd 'on ddy hows' sy'n profi bod croeso mawr iddo.

Wil, garej a Mair, ei wraig

Ar ôl i Huw ymosod arno mae Wil garej a Mair ei wraig yn helpu Meredydd ac yn llawn consýrn.

Gareth Hughes, y plismon

Pan mae Wil a Mair yn mynd â Meredydd i dŷ Gareth mae yntau'n llawn consýrn. Mae Meredydd yn gwrthod dweud pwy sy wedi ymosod arno ond mae Gareth yn gwybod yn iawn ac mae'n ffonio'r doctor.

PENNOD 10

Gareth Hughes yn ymosod ar Huw

Eto rydyn ni'n cael prawf o ba mor driw ydy Wil garej i Meredydd. Mae'n ffonio Gareth i ddweud bod Huw yn bygwth lladd Meredydd. Wedyn mae Gareth yn taro Huw yn anymwybodol, gwneud iddo chwydu rhag ofn iddo dagu a marw, a ffonio'r heddlu er mwyn iddo gael ei ddal yn yfed a gyrru.

9. Crynodeb o'r Testun

Mae'r agoriad yn uniongyrchol. Rydym yn cael ein taflu i ganol digwyddiad. Mae dyn yn claddu bocs mewn cae yn y nos. Ble mae o? Pwy ydy o? Pam? Beth sy wedi digwydd?

PENNOD 1

Golygfa 1
Mewn llys barn. Cael ein cyflwyno i Bethan a Huw Gwastad Hir, brawd a chwaer, wrth iddynt gynhyrfu ar ôl clywed y dyfarniad bod Meredydd Parri yn ddieuog o dreisio Bethan. Mae'r heddwas, Gareth Hughes, yn deall sut i drin Bethan. Mae Meredydd yn ymateb yn dawel i'r dyfarniad ond mae sgrechian Bethan yn ei boeni.

Golygfa 2
Meredydd yn sgwrsio gyda'i gyfreithiwr, Gwyndaf Pritchard, a'r bargyfreithiwr, Robert Roberts. Mae Meredydd yn casáu agwedd Robert Roberts tuag ato.

Golygfa 3
Cyflwyno pentref Hirfaen i ni – Gwesty Sant Aron a thafarn Yr Wylan Wen. Cyfarfod â Now Tan Ceris, Wil Aberaron, Gwilym Siop Gig a Robert Williams y tafarnwr. Now Tan Ceris yn mynd i'r Wylan Wen am beint bob nos Iau. Cael hanes mam a thad Meredydd sydd wedi boddi 'ers rhyw ddeunaw mis', dair wythnos wedi marwolaeth Wil, Drofa Ganol, gŵr Gladys.

Golygfa 4
Cyfarfod â Gladys Drofa Ganol. Mae ar ei ffordd adref trwy'r pentref i wylio newyddion chwech. Mae Gladys yn gymeriad beirniadol. Mae clywed bod Meredydd Parri yn ddieuog yn sioc iddi.

PENNOD 2

Golygfa 1
Meredydd yn cyrraedd adref ac yn gynddeiriog o weld fod yr heddlu wedi archwilio'r tŷ a'i adael mewn llanast. Marged Pritchard, ei fodryb, yn dod i'w helpu i lanhau.

Golygfa 2
Cael ein cyflwyno i deulu Gwastad Hir – y tad, Robin, y fam, Bet, Bethan a Huw. Maent

yn cael cinio wrth y bwrdd ac mae Robin yn amau nad oedd ei ferch yn dweud y gwir am y treisio. Mae hyn yn cynhyrfu Bet a Bethan yn arw. Dywed Huw, 'ladda i'r llarpad'. Pawb yn ffraeo.

Golygfa 3
Mae Meredydd yn wynebu pobl Hirfaen am y tro cyntaf ar ôl iddo gael ei ryddhau. Mae'n mynd i siop Gwilym y cigydd ac i siop Harri Jôs y groser. Pwy sydd yno ond Gladys Drofa Ganol. Siarad am Meredydd, 'mae gen i ofn cofiwch ... gadael i giaridyms grwydro'r lle ma ...' Hiwmor wrth i Harri newid ei feddwl am Meredydd wrth iddo wario mwy a mwy yn y siop. Dydy Ellis Post a Gwyn Llefrith ddim yn rhoi cymaint o groeso iddo. Wrth iddo droi i mewn i garej Wil mae Meredydd yn cael ei fygwth gan Huw Gwastad Hir ond mae'n cael croeso mawr gan Wil Drofa Isaf yn y garej, 'Gad i mi ysgwyd llaw efo ti. Croeso adra. Roeddwn i'n falch ar y diawl.'

Golygfa 4
Gyda'r nos mae Meredydd yn troi i mewn i'r Wylan Wen. Ar y dechrau mae'r criw yn dawel ond wedi i Dafydd Garej ei groesawu mae pawb yn dechrau ymlacio. Maent yn amlwg yn adnabod Bethan ac yn gwybod sut un ydyw. Mae Robin Williams yn rhybuddio Meredydd am Huw Gwastad Hir. Mae Meredydd yn teimlo'n unig ar y ffordd adref. Yna mae'n cael ei ddyrnu yn y tywyllwch gan Huw. Wil Garej a'i wraig sy'n darganfod Meredydd. Mae Meredydd yn gwrthod gweld meddyg ac yn gwrthod dweud pwy oedd wedi ei ddyrnu wrth Gareth Hughes, y plismon. Y plismon yn gwybod mai Huw Gwastad Hir wnaeth, 'Yr oedd Huw Gwastad Hir yn mynd yn ormod o lanc.'

PENNOD 3

Golygfa 1
Yma mae'r stori a'r plot yn newid cyfeiriad. Rydym yn cael ein cyflwyno i ŵr gwael yn yr ysbyty ym Mangor. Mae ei nai wedi ffonio i holi amdano ac mae hyn wedi cynhyrfu'r claf. Ei enw ydy Harri Evans a dim ond 39 oed ydyw. Mae wedi gofyn am gael gweld Arolygydd yr heddlu. Mae Inspector Emrys Roberts yn dod i'w weld ac mae'n cael hanes Harri a dyn arall yn dwyn o siop emau Jenkins yn Wrecsam. Harri saethodd perchennog y siop. Mae Harri'n dweud mai enw'r dyn arall oedd William Hughes a'i fod wedi ei weld yn yr ysbyty 'nos Sadwrn dwytha'.

Golygfa 2
Mae'r plismon sy'n cadw llygad ar y ward yn gweld William Hughes (Richard Jones). Mae wedi dod i weld Harri Evans.

Golygfa 3
Mae'r arolygydd yn cael gwybod bod William Hughes wedi bod ar y ward a bod Harri Evans yn anymwybodol.

PENNOD 4

Golygfa 1
Mae Meredydd yn galw yn Yr Erddig ar ôl diwrnod digalon ac unig. Mae'n cyfarfod ag Einir sy'n gweithio yn y gwesty. Mae Einir yn cytuno i gael pryd o fwyd gydag ef ond mae Idwal Roberts, cyflogwr Meredydd a'i wraig yn dod i mewn. Maen nhw'n mynnu bod y pedwar yn cael bwyd gyda'i gilydd.

Golygfa2
Morgan Ellis, perchennog Yr Erddig yn bwcio Richard Jones i mewn. 'Yr oedd yn ddyn cymharol dal a llydan, tua deugain oed, a gwallt syth du wedi ei dorri'n fyr.' Cael hanes y dwyn o'r siop emau ond o safbwynt Richard Jones yn awr.

Golygfa 3
Marwolaeth Harri Evans.

PENNOD 5

Golygfa 1
Richard Jones yn deffro yn y gwesty a'i droed yn brifo. 'Dim rhyfedd o ystyried bod ei droed yn llawn hoelion i'w ddal wrth ei gilydd'. Hel atgofion am ei blentyndod yn yr ardal. Ffonio'r ysbyty o giosg y gwesty i fod yn saff ac mae'n mynd i banig o glywed bod Harri Evans wedi marw. Mae'n gyrru i Hirfaen ac mae'n cael sioc o weld stad o dai wedi ei hadeiladu ar dir Tan Ceris ble claddodd y diemwntau. Yma rydym yn dod i ddeall bod cysylltiad rhwng y bennod 'Claddu' a Richard Jones. Bu bron iddo redeg dros Gladys wrth yrru drwy'r stad.

Golygfa 2
Gareth Williams wedi adnabod Richard Jones o'r llun ohono fel William Hughes. Cofio am y ddamwain gafodd 5 mlynedd yn ôl. Gladys yn dod ato i gwyno bod rhywun mewn car melyn wedi ceisio ei lladd wrth yrru o gwmpas y stad.

Golygfa 3
Meredydd yn mynd am dro ar hyd Llwybr Uwchlaw'r Môr. Meddwl am Einir. Cyfarfod â Gareth Hughes a dweud wrtho bod Richard Jones yn aros yn Yr Erddig. Gareth Hughes yn rhybuddio Meredydd nad yw Huw Gwastad Hir wedi gorffen ag ef.

PENNOD 6

Golygfa1
Yr Arolygydd yn holi Gareth Hughes am Richard Jones. Cael gwybod bod yr heddlu wedi cael Richard Jones yn anymwybodol yn y car noson y ddamwain yn dilyn claddu'r gemau. Mae'r heddlu yn ei wylio.

Golygfa 2
Meredydd yn dod wyneb yn wyneb â Bethan Gwastad Hir a'i mam mewn siop ddillad ym Mhenerddig. Mynd at Einir am gysur wedyn. Richard Jones yn dod at y bar a'i holi. Meredydd yn cael gwared arno trwy ei holi'n dwll yn ôl.

Golygfa 3
Gladys yn gweld Meredydd yn cyrraedd adref gydag Einir. Yn ei thymer mae'n dyrnu'r llawr gyda phrocer.

Golygfa 4
Mae Einir a Meredydd yn mynd am dro ar hyd Llwybr Uwchlaw'r Môr ar ôl swper. Mae Meredydd yn diolch iddi am fod yn ffrind a'r ddau yn dod i ddeall ei gilydd yn well. Maent yn gweld Richard Jones yn mynd heibio yn ei gar.

PENNOD 7

Golygfa 1
Richard Jones yn ymweld â Now Tan Ceris (mam Richard Jones (Mari) yn gyfnither i Now). Dim croeso gan Dwalad, y ci! Now yn amau Richard Jones. Mynd â Now am beint i geisio'i gael i ateb cwestiynau am y stad ond nid yw'n cael llawer o lwyddiant. Cael gwybod mai Gladys Drofa Ganol sy'n byw yn 'yr hen gornel fach honno o'r cae rŵan'. Gareth Hughes yn dod i'r dafarn ac yn cael mwy o wybodaeth am Richard Jones gan Now.

Golygfa 2
Richard Jones yn y gwesty yn cynllunio'i gam nesaf. Mae am gael gafael ar gynllun o stad Maes Ceris.

Golygfa 3
Gareth Hughes yn trosglwyddo'i wybodaeth am Richard Jones i'r Arolygydd.

PENNOD 8

Golygfa 1
Dydd Sadwrn y cyntaf o Fehefin. Pedair wythnos ers i Meredydd ac Einir gyfarfod. Y ddau ar draeth Hirfaen, yn nofio yn y môr. Einir yn cytuno i aros y noson gyda Meredydd sydd dros ei ben a'i glustiau mewn cariad â hi.

Golygfa 2
Einir yn holi Meredydd sut bu ei rieni farw. Mae'n synnu nad oes arno ofn nofio ac nad yw'n dal dig at y môr. Meredydd yn gallu dweud popeth am ddamwain ei rieni wrthi. Daethpwyd o hyd i'w fam ar unwaith ond cafodd ei dad ei gario allan i'r môr a bu yno am bythefnos. Nid yw Meredydd wedi gallu agor ei galon wrth neb fel hyn o'r blaen. Yr holl fanylion erchyll yn ormod i Einir. Y ddau'n clywed sŵn y tu allan i'r tŷ ac yn gweld Richard Jones yno'n prowlan.

Golygfa 3
Gladys yn effro. Nid yw wedi bod yn teimlo'n dda yn ddiweddar. Gweld cysgod Richard Jones y tu allan yn ei dychryn ac yn achosi i'r poenau yn ei brest waethygu.

PENNOD 9

Golygfa 1
Yr Arolygydd yn gyrru i Hirfaen at Gareth Hughes. Wedi bod yn dilyn Richard Jones tan dri o'r gloch y bore ac yn gwybod am ei symudiadau. Gareth Hughes yn cael ei alw i dŷ Gladys gan Robin Gwastad Hir a ffoniodd o dŷ Meredydd. Darganfod Gladys wedi marw.

Golygfa 2
Richard Jones yn eistedd ar Fynydd Ceris ac yn gwylio stad Maes Ceris trwy sbienddrych. Gweld y cynnwrf o gwmpas tŷ Gladys a deall ei bod wedi marw. Llwyddo i gael cynlluniau tŷ Gladys o swyddfa'r pensaer trwy guddio yn y toiledau. Sylweddoli bod y gemau o dan y sied.

Golygfa 3
Einir a Meredydd yn caru. Meredydd yn ei gyrru i Borthmadog i ymweld â'i rhieni. Gofyn iddi ddyweddïo. Hithau'n gwrthod am i un dyweddïad fod yn fethiant.

PENNOD 10

Golygfa 1

Huw wrthi'n dathlu ei fod am gael arian ar ôl Gladys ac yn dweud yng ngwesty Sant Aron ei fod am ladd Meredydd. Cael ei daflu allan o'r gwesty. Gareth Hughes yn cael y blaen arno, ei ddyrnu yn y tywyllwch ac yna gofalu ei fod yn cael ei ddal yn yfed a gyrru.

Golygfa 2

Robin Gwastad Hir wedi cael llond bol o'i fab gwirion ond mae Bethan wedi callio ac mae hynny yn ei blesio. Mae'n caru'n selog gyda Gwyn Llefrith erbyn hyn.

Golygfa 3

Now Tan Ceris a Gareth Hughes ar y ffordd i angladd Gladys. Now yn mynd i'r angladd 'er na fu gen i 'rioed fawr i'w ddweud wrth yr hen fuwch'. Now wedi deall bod Gareth wedi rhoi curfa/cosfa i Huw. Cael gwybod pam roedd Gladys yn casáu Meredydd gymaint – bu farw ei rieni dair wythnos ar ôl ei gŵr. Tynnodd hynny'r sylw oddi arni hi. Neb yn drist iawn yn ei hangladd – hyn yn dweud llawer amdani.

Golygfa 4

Yr arolygydd yn flin bod Richard Jones wedi bod i ffwrdd yn rhywle am noson a'r heddlu wedi methu ei ddilyn. Penderfynu cadw llygad arno lawn amser o hyn ymlaen.

PENNOD 11

Ar ddechrau'r bennod rydyn ni'n deall bod Richard Jones wedi bod yn paratoi yn y sied ers nosweithiau ar gyfer heno – y noson y bydd yn tyllu am y trysor.

Golygfa 1

Richard yn hyderus ac yn llawn cynnwrf wrth feddwl am ei lwyddiant. Mynd i'r bar am wisgi. Meredydd yno ond fawr ddim i'w ddweud wrth Richard Jones.

Golygfa 2

Richard ar ei ffordd i Hirfaen am hanner awr wedi deg. Cael ein hatgoffa o'r bennod 'Claddu', 'Byddai sgwâr pedwar lled rhaw yn ddigon'. Cyrraedd y sied, dechrau gweithio ond mae pethau'n anoddach nag a feddyliodd.

Golygfa 3

Wedi oriau o weithio mae Richard yn taro ar y garreg a'r polythen a roddodd yno bum mlynedd yn ôl.

Mae'n crio o ryddhad – emosiwn nad yw'n dangos fel arfer. Yna mae'n clywed sŵn a sgwrs plismyn y tu allan ac mae'n sylweddoli eu bod wedi bod yn ei ddilyn ers tro. Mae'n dianc trwy ffenest y sied ac mae'n rhedeg trwy'r glaw.

Golygfa 4

Ger Tan Ceris mae Dwalad, y ci, yn cael gafael arno a'i gnoi'n gïaidd yn ei ffêr. Mae'n ymladd gyda'r ci a'i ladd. Mae'n mynnu dal ati i ddianc er ei fod mewn cyflwr truenus. Yna mae'n syrthio i'r môr. 'Disgynnodd yn ôl ar ei wyneb a theimlodd y dŵr oer yn chwarae â'i geg. Ac yna clywodd sŵn y môr'.

PENNOD 12

Golygfa 1

Mae gardd Gladys yn llawn plismyn ac mae Meredydd yn teimlo atgasedd at rai ohonynt. Pan oedd ef yn y gell roeddent yn gas tuag ato ond rŵan maen nhw'n iawn. Mae'n methu credu eu dylni, 'yr oedd cant o ddynion bach yn chwilio'r tir am ddyn oedd wedi boddi.'

Golygfa 2

Mae Meredydd ac Einir yn penderfynu mynd am dro i'r mynydd i wylio'r chwilio am gorff Richard Jones. Meredydd yn ffraeo gyda phlismyn ar y ffordd. Cyfarfod Now – yn drist ar ôl marwolaeth Dwalad. Gweld corff Richard Jones yn dod i'r lan.

Golygfa 3

Cerdded i'r Wylan Wen – y criw yn tynnu coes yno. Mae'n amlwg bod Einir wedi ei derbyn ganddynt ac mae yma ddarlun o gymdeithas glòs, brofoclyd y dafarn. Meredydd yn gofyn eto iddi ddyweddïo. Rydym yn gwybod y bydd yn cytuno yn y pen draw.

10. Iaith ac Arddull

Y SGYRSIAU

Mae Alun Jones yn bencampwr am ysgrifennu deialog naturiol ac mae pwrpas i bob sgwrs e.e.

a) Cyflwyno gwybodaeth newydd
b) Dweud rhywbeth am y cymeriad sy'n siarad
c) Dangos agwedd cymeriadau at ei gilydd.

1. Mae Alun Jones yn defnyddio **iaith lafar** gyhyrog a chyfoethog Pen Llŷn yn ei sgyrsiau. Mae'n hollol addas oherwydd Cymry glân gloyw yw ei gymeriadau. Yn yr iaith lafar mae
   - **geiriau unigol** sy'n perthyn i Ben Llŷn e.e. cwffas (ffeit), 'rom bach' (ychydig bach), nialwch, tŷ potas (tafarn), mae'r dyn papur newydd yn 'jarffyn', mae Gladys yn 'hen sgriwan hyll' a bron pob dyn yn 'llarpad'.
   - **geiriau Saesneg** wedi eu Cymreigio e.e. Landrofar, mae Gladys wedi cael 'styrbans' pan bu bron i Richard Jones fynd drosti, cyrtans, planio, fel blac, caiff criw'r Wylan Wen ddiod 'on ddy hows' wedi i Meredydd gael ei ryddhau.
   - **rhegfeydd** e.e. 'uffar', 'Be gythraul?', 'wir Dduw', 'myn diawl'. Dydyn nhw ddim yn rhegfeydd eithafol.
   - **geiriau sy'n gorffen gydag 'a' neu'n cynnwys 'a'.** Maen nhw'n adlewyrchu'r acen ogleddol e.e. 'adra', 'dechra'

2. Nid yw Alun Jones yn defnyddio 'meddai' neu 'ebe' ac felly mae'r ddeialog yn llifo'n fwy esmwyth. Weithiau bydd cymeriad yn enwi'r un y bydd yn ei gyfarch e.e.
   'Ti biau'r dyn dieithr 'ma Now?'
   'Pawb â'i fusnes i' hun 'tê.'
   'Bydd fel 'na 'ta. Ydych chi'n perthyn?'

3. Mae rhythm naturiol yr iaith lafar i'r sgyrsiau ac maent yn llawn idiomau Cymreig e.e.
   'Ella mai'r hen ddyn 'na oedd achos marwolaeth y ddynes 'na.' [Einir am Gladys]
   'Go brin. Mi glywis i'r Doctor yn dweud mai ei chalon hi oedd y drwg.' [Meredydd]
   'Pam ei fod o wedi ei gyrru hi i ffwrdd 'ta, os oedd o'n gwybod hynny?'
   'Wn i ddim, os nad oedd ganddo fo amheuaeth. Neu mae'n bosib fod y glas wedi dweud wrtho fo fod 'na ddrwg yn y caws.'

4. Brawddegau pytiog sydd yn y sgyrsiau'n aml oherwydd mae pob cymeriad yn cyfrannu ac maent yn ymateb i'w gilydd yn llyfn e.e. Sarsiant Hughes a Meredydd yn y sgwrs hon:
   'Sut wyt ti?'
   'Iawn.'
   'Sut mae'r wyneb?'
   'O, mi ddaw. Mae'n well o lawer.'
   'Mae'n edrych yn well, beth bynnag. Meredydd?'
   'Ia?'
   'Sut mae rhyngot ti a dy gymdoges?'
   'Drofa Ganol?'
   'Hyhi.' Gwenodd yr heddwas.
   'Mae 'na ddynion Seciwricor yn gwarchod ei phantalŵns hi ddydd a nos ers nos Iau.'

Y NARATIF

Pwrpas naratif ydy symud stori yn ei blaen. Amrywia Alun Jones ei dechnegau fel yn y ddau baragraff yma.

> Clodd Richard ei hun yn ei ystafell ac aeth ar y gwely. Damia. Ceisiodd gael ei ben yn glir i feddwl. Damia damia damia. Saethai popeth drwy ei feddwl bob sut. Cododd. Taniodd sigarét. Cerddodd at y ffenest. Cerddodd at y gwely. Cerddodd at y drws. Pa hawl oedd gan neb i wneud tai? Damia las. Cerddodd at y ffenest. Pwy fyddai eisiau codi tai? I beth, yn enw pob rheswm? Be wnâi o'n awr? Yr holl blaniau, yr holl gynllunio manwl wedi mynd i'r gwynt. I be aflwydd oedd eisiau codi tai yng nghaeau Tan Ceris o bobman?

Yn y paragraff uchod mae Alun Jones yn

1. **Amrywio hyd y brawddegau**. Mae'r brawddegau o un gair yn creu seibiannau ac yn dangos bod Richard Jones yn aros yn ei unfan e.e. 'Damia', 'Cododd'.
2. Defnyddio **berfau cryno** e.e. 'clodd', 'cerddodd'. Mae'r rhain yn fwy safonol a ffurfiol na berfau cwmpasog.
3. **Ailadrodd** e.e. 'Damia' er mwyn dangos pa mor flin ydy Richard, 'Cerddodd' er mwyn dangos pa mor aflonydd a rhwystredig ydy o, 'yr holl' er mwyn dangos cymaint o waith sydd wedi ei wneud a'r cyfan yn cael ei ddifetha. Mae'n llawn panig.

4. Defnyddio **cwestiynau rhethregol** gan ei fod yn mynd i feddwl y cymeriad ac yn ei ddangos yn ymsona e.e. 'Pa hawl ...?' 'Pwy fyddai ...?' 'I beth ...?' Mae'r rhain yn dangos beth sy'n ei gorddi sef bod tai wedi eu hadeiladu ar y cae ble claddodd y gemau.
5. **Adeiladu'r paragraff i uchafbwynt** yn y frawddeg olaf. Y frawddeg olaf sy'n dweud wrthym beth sy'n poeni Richard Jones.
6. **Osgoi iaith flodeuog.** Does dim ansoddeiriau, trosiadau, cymariaethau na phersonoli yn y paragraff hwn. Y berfau a'r ailadrodd sy'n creu darlun ac awyrgylch.

> Yr oedd ochr y mynydd yn berwi gan blismyn, fel pryfed ar fuwch, rhai'n brasgamu'n frysiog y tu ôl i gŵn eiddgar, eraill ar eu gliniau neu ar eu cwrcwd yn canolbwyntio'n ddyfal ar y gwellt o danynt, a rhai eraill yn sefyll, yn ymgynghori ac yn pwyntio i bobman â breichiau sydyn, pwysig. I lawr yr allt deuai ceir a faniau â mwy o blismyn, a chyn hir byddai pawb yn Hirfaen wedi deffro a dod i fusnesa, a byddai'r lle fel cwch gwenyn.

Yn y paragraff uchod mae Alun Jones yn defnyddio

1. **Ansoddeiriau** e.e. 'brasgamu'n **frysiog,** cŵn **eiddgar**' i ddangos pa mor gyflym a llawn cyffro maen nhw'n mynd, 'breichiau **sydyn, pwysig'** i ddangos symudiadau prysur ac awdurdodol y plismyn.
2. **Trosiadau** e.e. 'yn berwi gan blismyn' i ddangos fod y lle'n llawn i'r ymylon a bod pawb yn symud.
3. **Cymariaethau** e.e. 'fel pryfed ar fuwch'. Mae'r gymhariaeth hon yn creu delwedd afiach ac mae'n eithriadol o addas oherwydd trwy lygad Meredydd yr ydym yn gweld y plismyn ac mae ef yn eu casáu. Rydym yn cael y teimlad eu bod ym mhobman ac yn aflonydd. Mae'r gymhariaeth 'fel cwch gwenyn' yn un eithaf cyffredin a defnyddia'r awdur hi i ddangos pa mor brysur a llawn o bobl busneslyd bydd y mynydd wedi i bawb ddeffro.

CYFLEU GWRTHDARO

Drannoeth wedi i Meredydd gael ei ddyfarnu'n ddieuog mae Alun Jones yn mynd â ni i gegin Gwastad Hir ble mae'r teulu'n bwyta'u cinio ond mae'r awyrgylch yn drydanol!

Plygodd Robin Hughes y papur newydd a rhoes ef o'r neilltu. Daeth gwg i'w lygaid pan welodd ddagrau ei ferch ond ymataliodd rhag dweud dim. Petai'n dweud ei feddwl byddai'n ***storm*** *yn syth. Rhoes ei sylw ar ei blât.* ***Ych a fi.***
Os wyt ti'n mynd i'r dre pnawn 'ma cofia am y washers ...,' meddai wrth Huw.
'Mm.'
'A thyrd â chalan tra byddi di yno ...'
'Mm.'
'Wyddost ti ddim ble mae'r hen un, mwn?'
'Mm.'
'Yn lle?'
'Dwn im.'
'Pam na ddeudi di'n iawn 'ta?'
Yr oedd y llifeiriant dagrau am y bwrdd ag ef ***yn dechrau dweud*** *ar Robin Hughes. Yr oedd y pigo bwyta a wnâi ei ferch* ***yn dechrau dweud*** *arno hefyd heb sôn am y* ***snwffian*** *o gyfeiriad ei wraig, a'r* ***ebychiadau*** *a roddai ei fab fel atebion iddo ...*
'Pam na fwyti di'n iawn, dŵad?' gofynnodd yn chwyrn i'w ferch, 'Ta wyt ti am ***strancio*** *hyd ddydd y Farn?'*
'Robin!'
Llamodd y fam i amddiffyn ei merch.
'Gad lonydd i'r hogan. Cofia ...'
*'****Mi ladda i'r llarpad****,' meddai Huw ar ei thraws yn sydyn.*
Gwylltiodd ei dad.
'Wnei di ddim o'r fath beth. ***Ylwch, gwrandwch*** *y tri ohonoch chi. Mae hi wedi bod yn ddigon o lanast yma'n barod heb i chi 'i gneud hi'n waeth.*

Mae'r trosiad 'storm' yn awgrymu helynt a thrafferth.

Mae'r paragraff yn cloi gyda brawddeg diferf a diwastraff sy'n dangos barn Robin ar y bwyd. Mae'n meddwl ei fod yn afiach.

Mae'r sgwrs hon yn unochrog. Robin sy'n siarad a Huw yn ateb gyda'r sain unsill 'Mm'. Nid yw'n gwrando ar ei dad o gwbl. Mae'r tensiwn yn cael ei adeiladu ac mae Robin yn mynd yn fwyfwy rhwystredig. Daw uchafbwynt y sgwrs pan ddywed Huw, 'Dwn im' sy'n ddigri hefyd.

Mae ailadrodd 'yn dechrau dweud' yn dangos syrffed Robin ac rydym yn gwybod ei fod ar fin ffrwydro.

Mae 'snwffian' ac 'ebychiadau' yn cyfleu'r synau sydd yn y gegin. Synau amhersain ydyn nhw a does ryfedd eu bod yn mynd ar nerfau Robin!

Berfenw sy'n disgrifio Bethan fel merch fach wedi ei difetha.

Y frawddeg gyfan gyntaf i Huw ei dweud ac mae'n dangos person mor wyllt ydyw. Mae'n fygythiol ac yn gas.

Robin yn dangos awdurdod trwy ddefnyddio'r ferf orchmynnol.

Mae'r peth drosodd. Drosodd am byth. Anghofiwch o.'
'Dim peryg yn y byd ...' dechreuodd Huw ond cyn iddo gael cyfle i ymhelaethu yr oedd dwrn ei dad wedi disgyn ar y bwrdd nes bod y llestri i gyd yn dawnsio. Disgynnodd y botel sôs ar blât Bethan a'i hollti a theimlodd Huw gynhesrwydd y ffa cochion ar ei gôl.
'Robin!' sgrechiodd ei wraig, 'cymer bwyll! Yli'r llestri 'ma.'
*'**Llestri o ddiawl.** Mae'n amsar dweud y gwir yma. Mi wyddoch o'r gora nad oedd ond 'chydig o fai, os oedd 'na o gwbl' ar yr hogyn 'na ...'*
Edrychodd y ferch yn llygadrwth arno. Beth oedd o'n ei ddweud? Ei thad ei hun. Daeth y dagrau yn eu holau a dechreuodd ochneidio'n uchel ddireol. Sgrechiodd coesau'i chadair ar y llawr llechen wrth iddi'i gwthio'n ôl. Cododd gan gicio'r gadair o'r ffordd nes bod honno'n clecian ar hyd y llawr. Rhedodd o'r gegin a chlywsant hi'n rhuthro i fyny'r grisiau i'w llofft ac yn ei lluchio'i hun ar ei gwely. Dechreuodd weiddi crio dros y lle.
*'Ylwch be 'dach chi wedi'i wneud rŵan,' **gwaeddodd** Huw ar ei dad.*
'Cau dy geg. Cauwch eich cega, y blydi lot ohonoch chi.'
*Aeth drwy'r drws cefn **fel tarw.***

Tair brawddeg fer sy'n cyfleu pa mor benderfynol ydy'r tad. Mae'r ailadrodd ac yna'r ferf orchmynnol yn cryfhau'r pendantrwydd hefyd.

Tensiwn yn cael ei adeiladu trwy ddarlun cartwnaidd. Mae'r llestri'n cael eu personoli trwy wneud iddynt ddawnsio a defnyddir y synnwyr o glywed pan mae dwrn Robin yn taro'r bwrdd a phan mae'r botel sôs yn syrthio ar blât Bethan a'r synnwyr o deimlo pan mae'r ffa coch yn syrthio ar lin Huw.

Erbyn hyn mae Robin wedi cael digon a dyma pryd mae'n rhegi am y tro cyntaf yn yr olygfa hon.

Yn y paragraff hwn mae'r tensiwn yn ail ddechrau ond o safbwynt Bethan. Mae'r cwestiwn rhethregol yn cael ei ddilyn gan ei hateb 'ei thad hi ei hun' ac mae'n methu credu ei chlustiau! Yma mae'n mynd yn hunan dosturiol a dyma pryd mae'r 'storm' yn dechrau. Mae hi'n cael sterics ac mae hynny'n cael ei ddangos trwy gyfres o ferfau a berfenwau – sgrechiodd, gwthiodd, cododd, clecian. Maent yn creu synau aflafar ac yn dod i uchafbwynt pan glywn hi'n 'lluchio' ei hun ar y gwely ac yn 'gweiddi crio dros y lle'.

Mae Huw wedi ffeindio ei lais erbyn hyn ac yn ychwanegu at y ffraeo.

Robin yn dangos mai ef sy'n rheoli trwy ddefnyddio berfau gorchmynnol. Mae'r ffaith ei fod yn rhegi ei deulu ac yn dangos diffyg parch yn profi ei fod wedi cael mwy na digon arnyn nhw.

Cymhariaeth sy'n dangos pa mor beryglus ac ymosodol ydy Robin.

CREU AWYRGYLCH HWYLIOG

Yn yr olygfa hon mae Meredydd yn mynd i'r Wylan Wen wedi iddo gael ei ryddhau.

'Sut wyt ti'r. ***Arab****?'*
Daeth bloedd Dafydd Garej o'r bar mawr pan oedd Robin ar drosglwyddo'r peint o'r pwmp i Meredydd ...

*'****Go damia ti.*** *Pam na siaradi di'n gall yn lle rhuo dros y* ***blydi*** *lle? Yli be wnest ti imi'i wneud. Mae'r llawr 'ma'n un afon.* ***Duw, Duw,*** *wyt ti'n meddwl bod pawb yn hollol fyddar yma? Yli gwaith sychu llawr sy gen i ar d'ôl di'r llarpad gwirion.'*

Yng nghanol bonllefau ***ffug-gydymdeimladol*** *o'r bar mawr i bryfocio mwy arno aeth Robin at y sinc i estyn cadach llawr.* ***Chwyrnai*** *fwyfwy gyda phob ebychiad o'r bar mawr a phan ddaeth o hyd i'r cadach fe'i* ***lapiodd*** *yn daclus am wyneb Dafydd.*

'Hwda'r twmpath, mi ro i ti floeddio.'

'Go damia.'

Poerodd Dafydd y blewiach o'r cadach o'i geg a chymerodd arno ***anelu'r botel ddŵr soda at din y tafarnwr wrth i hwnnw blygu i sychu'r llawr ...***

'Sut le oedd 'na yn Risley?'
'Oedd 'na far yno?'
'Welist ti wyneb Bet Gwastad Hir ddoe?'
'Doedd yr hen blismyn 'na ddim yn edrych rhyw lawen iawn chwaith.'

Geiriau anwes sy'n perthyn i dafodiaith Pen Llŷn ac yn cael eu defnyddio i gyfarch ffrind neu rywun agos atoch.

Rhegfeydd eithaf diniwed sy'n rhan naturiol o'r iaith lafar. Mae'r ffaith eu bod yn cael eu defnyddio yn profi bod y cymeriadau yn hollol gyfforddus yng nghwmni ei gilydd.

Ansoddair dwbl sy'n dangos digrifwch y sefyllfa. Mae'r criw wrth y bar yn pryfocio'r tafarnwr.

Berfau sydd wedi cael eu dewis yn bwrpasol i greu darlun digri. Mae Robin yn chwyrnu fel ci ac mae'r ferf 'lapiodd' yn dangos y cadach gwlyb, afiach wedi'i glymu o gwmpas gwddw Dafydd ac yn gwneud i ni chwerthin.

Mae'r gair 'tin' yn ogleisiol bob amser ac yma mae'n rhan o ddarlun cartwnaidd iawn.

Cyfres o gwestiynau heb atebion. Mae pawb yn siarad ar draws ei gilydd ac yn amlwg wedi ymlacio. Maent yn mynegi eu barn ac mae rhoi'r ansoddair 'hen' cyn 'plismyn' yn awgrymu nad ydy cymeriadau'r dafarn yn hoffi plismyn.

DISGRIFIAD O BERSON

Crea Alun Jones ddisgrifiad arswydus o'r claf, Harri Evans, yn yr ysbyty.

Yr oedd y gobennydd claerwyn a gynhaliai'r ***ddrychiolaeth*** *yn y gwely yn gwneud iddo edrych yn waeth rywfodd; nid oedd eu glendid yn gweddu i'r hyn oedd yn* ***weddill o ben*** *orffwys arnynt. Dangosai siâp y cynfasau nad oedd* ***dim o'r claf ar ôl …*** *Gorweddai'n llonydd yn y gwely a'r ddau lygad fel pe'n ymwthio allan o'r tyllau dyfnion o dan ei dalcen. O bobtu'r llygaid yr oedd* ***erchylltra'r croen llwyd-felyn crebachlyd*** *am yr esgyrn, a'r pantiau o danynt, lle dylai'r boch fod yn gwneud i'r esgyrn ymddangos yn anferth. Yr oedd ei geg yn agored a'i anadliad yn fyr a chlywadwy. Nid oedd ei wddf ond* ***sypyn o groen.***

Enw cryf sy'n awgrymu ar unwaith mai rhyw fath o ysbryd sydd yma.

Mae'r claf yn eithriadol o denau. Caiff hyn ei bwysleisio trwy ddweud mai mymryn o'r pen sydd ar ôl ac yna mynd i'r eithaf a dweud nad oes dim ohono ar ôl. Does ganddo ddim bochau chwaith, dim ond pantiau.

Ansoddeiriau negyddol. Mae llwyd-felyn yn lliw afiach sy'n codi cyfog ac mae 'crebachlyd' yn cyfleu rhywbeth hen sy'n rhychau i gyd, fel croen eliffant.

Mae'r enw 'sypyn' yn awgrymu rhywbeth llipa a difywyd a dyna sut groen sydd gan y claf.

Yn y paragraff olaf mae'r awdur wedi amrywio hyd y brawddegau i bwrpas. Ceir brawddeg hir yn manylu ar erchylltra'r olygfa ac yna ceir brawddeg fer sy'n hoelio ein sylw. Mae'n gwneud i ni glywed anadliad llafurus y claf.

IAITH Y CYFRYNGAU

> *'Noswaith dda. Yn Llys y Goron Penerddig brynhawn heddiw cafwyd Meredydd Parri, pump ar hugain oed o Hirfaen, ger Penerddig, yn ddieuog o dreisio Bethan Hefina Hughes o'r un pentref. Bu cryn gythrwfl yn y llys pan gyhoeddwyd y dyfarniad. Am fwy o fanylion, drosodd at ein gohebydd ym Mhenerddig, Meirion Glyn.'*

Iaith ffurfiol a swyddogol a geir pan ddaw'r newyddion ar y teledu. Mae'n drefnus iawn e.e. 'Noswaith dda. Yn Llys y Goron, Penerddig, brynhawn heddiw cafwyd Meredydd Parri, pump ar hugain oed, o Hirfaen ...' Yn gyntaf mae'r cyhoeddwr yn cyfarch y gynulleidfa ac yna'n nodi lleoliad y digwyddiad ac yna'r person.

Mae'r rhifolyn ffurfiol 'pump ar hugain oed' yn cael ei ddefnyddio a'r ferf amhersonol, 'cafwyd'. Mae'r rhain yn perthyn i arddull ffurfiol cyhoeddiad. Ffeithiau moel sydd yma heb ddim ansoddeiriau na chymariaethau neu drosiadau.

Dyma'r unig dro, drwy'r holl nofel i ni glywed enw llawn Bethan. Fel Bethan Gwastad Hir mae Alun Jones yn sôn amdani trwy'r amser oherwydd mae defnyddio enw cartref ar ôl enw person yn gyffredin iawn yng nghefn gwlad Cymru.

11. Esbonio Dyfyniadau Pwysig

DYFYNIAD 1

Aeth ar ei liniau uwchben y twll a goleuodd ei lamp. Pyramid o garreg. Byseddodd o'i chwmpas am ysbaid cyn darganfod meddalwch yn un pen. Turiodd â'i fys heibio iddi ac o'r diwedd llwyddodd i fynd odani ... cododd hi'n ofalus a'i rhoi ar ymyl y papur.

Yr oedd y twll yn culhau'n arw erbyn iddo balu sbel ymhellach. Tynnodd y tâp mesur o'i boced. Dwy droedfedd a hanner. Iawn.
Golygai hynny dros ddwy droedfedd o bridd ar y blwch, digon i'w ddiogelu am byth petai angen. Cerddodd yn ôl at y gwrych ac ymbalfalodd yn y tyfiant am y blwch. Gwrandawodd am eiliad. Dim.
Cofiodd iddo glywed sŵn y môr ar brynhawn stormus o'r fan hon ers talwm, ond yr oedd yn rhy dawel o lawer heno, ac ni chyrhaeddai sŵn unrhyw don ymhellach na phen y traeth bron filltir i ffwrdd.

- Dyma ran o brolog neu ragarweiniad y nofel. Disgrifiad o Richard Jones yn claddu'r diemwntau sydd yma.

- Mae'r awdur yn cyflwyno Richard Jones fel dyn trefnus ac eithriadol o ofalus a manwl ei waith. Yn ddiweddarach yn y nofel ar ôl i Richard ddarganfod bod stad o dai ar y cae mae'n mynd i banig ac yn cofio am yr holl blaniau a pharatoi manwl.

- Pan oedd Richard yn cloddio am y diemwntau roedd sôn eto am y garreg siâp pyramid. Daeth dagrau i'w lygaid wrth iddo afael yn dynn yn 'y ffurf pyramid'.

- Mae 'digon i'w ddiogelu am byth' yn eironig oherwydd go brin y caiff neb hyd i'r gemau.

- Mae'r awdur yn dechrau egluro daearyddiaeth yr ardal trwy ddweud bod y cae (ac felly Maes Ceris) filltir o'r môr.

- Yma mae'r cyfeiriad cyntaf at y môr ac arwyddocâd teitl y nofel. Y môr yw'r peth cyntaf a'r peth olaf mae Richard Jones yn ei glywed. Mae'r môr yn cysylltu'r cymeriadau ac yn gweithredu fel symbol o farwolaeth (Richard Jones a rhieni Meredydd), symbol o fywyd a chynhaliaeth (pysgota), symbol o hapusrwydd a rhyddid (Meredydd ac Einir yn nofio) a symbol o ddial (boddi Richard Jones).

DYFYNIAD 2

Rhoes Gareth Hughes y ffôn yn ei ôl. Daliodd i eistedd ble'r oedd ar y funud gan dynnu ei wefl yn ôl ac ymlaen â'i fys a'i fawd. Yr oedd Huw Gwastad Hir yn mynd yn ormod o lanc.

- Mae'r paragraff hwn yn dod ar ôl i Wil Garej a'i wraig ddarganfod Meredydd wedi cael curfa a mynd ag ef i swyddfa Gareth Hughes.

- Plismon ardal ydy Gareth Hughes ac yma down i ddeall ei fod yn adnabod y bobl yn dda. Mae Meredydd wedi gwrthod cyfaddef pwy ymosododd arno ond mae Gareth yn gwybod mai Huw sy'n gyfrifol.

- Mae'r darlun o'r plismon yn 'tynnu ei wefl yn ôl ac ymlaen' yn dangos ei fod yn meddwl ac yn cynllunio.

- Mae'r frawddeg olaf yn awgrymu'n gryf ei fod am ddysgu gwers i Huw ac ar ddechrau'r bennod nesaf rydym yn cael gwybod ei fod wedi penderfynu 'nad oedd Huw Gwastad Hir yn mynd i ddod ohoni ar chwarae bach. Fe gâi dalu'n hwyr neu'n hwyrach.'

- Pan mae Gareth yn rhybuddio Meredydd i fod yn ofalus mae Meredydd yn dweud y bydd yn barod am Huw y tro nesa ond ateb cryptig Gareth ydy, 'os na fydd 'na rywun wedi cael y blaen arnat ti.'

- Mae yma eironi proffwydol oherwydd yn nes ymlaen yn y nofel mae Gareth yn rhoi curfa dda i Huw ac yn trefnu iddo gael ei ddal yn yfed ac yn gyrru.

DYFYNIAD 3

'Pwy ydy Gladys a Wil Parri?'
Cododd Now ei aeliau. Cwestiwn braidd yn rhyfedd i ddyn hollol ddieithr, meddyliai. Ond, wedyn, dyna oedd ei nai. Un cwestiwn rhyfedd, un rhyfedd o'i streipen wen i'w 'sgidia sglein.
'Duw, mi wnâi Gladys wraig dda i ti,' meddai gan wenu'n braf i'w beint. 'Pam na sythi di ar ei hôl hi? Wyddost ti ddim be gaet ti.'
Dechreuodd bwffian chwerthin wrth gau ei smôc. Dychmygai weld ei nai mewn gwely gyda Gladys Drofa Ganol. Daeth yr olygfa'n fyw iddo ac aeth y chwerthin yn waeth.
'Pam nad ei di i fyny ati am sbort?'
'Pam, ydy hi'n un wyllt?'
'Gwyllt?' Methai Now ag atal ei chwerthin. Dechreuodd y dagrau lifo.
'Gwyllt ar y diawl, achan.'

- Sgwrs rhwng Now Tan Ceris a Richard Jones yn Yr Wylan Wen ydy hon.

- Aeth Richard i Dan Ceris i holi Now am y tir a werthodd i adeiladu stad Maes Ceris. Nid yw'n cael llawer o lwc yn y tŷ ond llacia tafod Now wedi iddo gael ychydig i'w yfed. Mae Richard wedi gofyn pwy sy'n byw yn y tŷ ble'r oedd cornel y cae ac ateb Now oedd Gladys neu Wil Parri.

- Nid yw Now yn hoffi Richard ac mae'n ddilornus iawn o'i ymddangosiad. Mae fel pin mewn papur gyda streipen wen yn ei wallt a sgidiau sgleiniog. Mae'n cyferbynnu'n hollol gyda Now sydd wedi gwisgo coler cyn dod allan ac yn rhowlio ei sigarennau ei hun.

- Mae'n eironig bod Now yn dweud wrth Richard am fynd at Gladys am sbort oherwydd roedd wedi ei chyfarfod yn barod. Pan aeth i fusnesu yn stad Maes Ceris bu bron iddo ei tharo gyda'i gar y tu allan i'w thŷ.

- Now sy'n rheoli'r sefyllfa gan bryfocio Richard trwy'r adeg. Sylweddola Richard bod Now yn glyfrach na'i ymddangosiad.

- Mae'r camddealltwriaeth am 'wylltineb' Gladys yn ddoniol. Mae Richard yn meddwl ei bod yn rhywiol ond rydym ni'n gwybod mai hen ddynes flin ydy hi.

DYFYNIAD 4

'Fi ddaeth o hyd i 'nhad. Roedd pawb arall wedi laru chwilio. Mi fyddwn i'n cerddad y traetha 'ma a'r creigia 'ma bob dydd i chwilio amdano fo. Mi fyddwn i'n clywed pobl yn siarad amdana i ac yn dweud mai adra'n y tŷ'n galaru oedd fy lle i. Roeddan nhw'n deud ei bod hi'n bosib mai yn Sir Fôn ne Lerpwl ne 'Werddon y deuai o i'r lan ac amball un yn deud na ddeuai o byth, unwaith y byddai'r cŵn gleision a'r cimychiaid wedi mynd i'r afael â fo. Ond rhyw fora, - pythefnos union ar ôl iddo fo fynd ar goll, mi gwelis o ar graig isal tua milltir o ben draw'r traeth lle'r oeddan ni pnawn, wedi ei adael yno gan y trai. Roedd ei ddillad wedi mynd i gyd.'
'Taw, wnei di?'
'Doedd 'na ond hanner ei ben ar ôl. Doedd ganddo fo'r un goes. Roedd o wedi chwyddo, wedi chwyddo fel ... fel ...'
'Bydd ddistaw wir Dduw.'
'Ac mi aethon nhw â fo i Benerddig i edrych be achosodd ei farwolaeth o. Y diawliaid gwirion dwl. Ei agor o o un pen i'r llall fel blydi macrall ...'
'O damia ti.'

- Yn y dyfyniad hwn mae Meredydd yn adrodd hanes marwolaeth ei dad wrth Einir. Nid yw wedi rhannu hyn gyda neb o'r blaen.
- Er bod Einir yn ceisio'i rwystro, mae'n mynnu cario ymlaen â'i stori.
- Mae gallu adrodd yr hanes yn rhyddhad iddo ar ôl yr holl amser.
- Mae rhoi'r manylion cignoeth yn dangos pa mor rhwystredig a blin y mae'n teimlo.
- Mae Meredydd yn rhegi wrth sôn am y plismyn – maen nhw'n ei wylltio. Gan ein bod yn gwybod na wnaethon nhw fawr ddim i chwilio am dad Meredydd a'u bod wedi rhoi 'post mortem' iddo rydym yn deall pam mae Meredydd yn colli ei dymer gyda nhw pan maen nhw'n chwilio am gorff Richard Jones.
- Mae Einir yn torri ar draws llif geiriau Meredydd gyda brawddegau byr. Mae hyn yn torri ar y rhediad ac yn dangos bod y stori yn cael effaith ddrwg ar Einir.

DYFYNIAD 5

Clywodd sŵn y car yn aros o flaen y tŷ. Yr oedd yn adnabod ei sŵn yn iawn, yr hen anghenfil hyll iddo fo. Helô, sŵn dau ddrws yn cau. Aeth Gladys Davies at y ffenest a symudodd y llenni'n llechwraidd i gael gweld yn well.
Y nefoedd wen! Yr oedd yn mynd â geneth i'r tŷ. Be wnâi hi? Mae'n rhaid ei bod yn hwran. Be ddeuai o'r lle 'ma? Troi stad o dai newydd parchus mewn pentref bach tawel heddychlon yn Stryd Sodom. Pobl barchus wedi byw yma drwy'r amser, a hwnna'n dod â'i hwrod i'w canol heb falio dim am neb. Roedd y byd yn mynd â'i ben iddo'n llwyr.
Y nefoedd wen! Beth petai'n ferch ddieithr? ... Efallai nad oedd wedi clywed amdano na'i weld erioed o'r blaen. Be wnâi hi? A ddylai ffonio'r heddlu? Hy! Pa haws oedd neb o ffonio petha felly? Duw a ŵyr, hwy oedd wedi gadael i'r adyn fynd yn rhydd yn y lle cynta, y giwad iddyn nhw.
Dechreuodd grinsian ei dannedd wrth ystyried yr annhegwch a cherddodd y gegin er mwyn i'w thymer godi'n iawn. Yna aeth i nôl y procer. Hon fyddai'r ddefod pan fyddai Gladys wedi gwylltio'n iawn ...
Ond heno nid y byd drwg o'i chwmpas oedd ar ganol llawr y gegin, ond Meredydd Parri. Ffonodiodd Gladys ef yn orffwyll i farwolaeth, saethodd ef, gosododd grocbren ar ganol yr ystafell a chrogodd ef, torrodd ei ben i ffwrdd â'i phrocer pan oedd ar ei liniau o'i blaen yn sgrechian am drugaredd, a dechreuodd ei guro wedyn yn ddi-baid nes daeth y boen.
O Dduw annwyl. O Dduw annwyl. Eisteddodd ar y gadair wrth y bwrdd. Gadawodd i'r procer ddisgyn ar y carped. Yr oedd y chwys yn rhedeg i'w llygaid a'i cheg, ac yr oedd y boen fwyaf ofnadwy yn ei mynwes.

- Mae'r olygfa'n darlunio Gladys fel dynes fusneslyd sy'n clustfeinio ac yn sylwi'n graff bod dau ddrws yn cael eu cau. Mae Alun Jones yn defnyddio'r ansoddair 'llechwraidd' i'w darlunio'n edrych yn slei trwy'r ffenest. Mae'n gwneud hynny'n nes ymlaen yn y nofel ac mae'n cael trawiad ar ei chalon wrth weld Richard Jones yn ei gardd.

- Mae'n defnyddio geirfa Beiblaidd wrth sôn am Stryd Sodom sef lle llawn pechod ac mae o hyd yn ei hystyried hi ei hun a'i gŵr fel pobl barchus.

- Mae'n meddwl yn ddrwg o bawb arall – mae Einir yn 'hwran' a'r plismyn yn 'giwad' da i ddim.

- Mae'r olygfa'n datblygu i fod yn un arswydus o Gladys fel dynes wallgof. Mae yna awgrym ei bod yn gwneud hyn yn aml i gael gwared â'i gwylltineb.

- Mae rhestru'r holl bethau mae'n dychmygu eu gwneud i Meredydd yn dangos pa mor lloerig ydy hi.

- Yn dilyn hyn mae Gladys yn gorfod ffonio Bet Gwastad Hir, ei chyfnither, bob bore i riportio am ei hiechyd.

12. Cwestiynau Arholiad

HAEN SYLFAENOL

Darllenwch y darn ar dudalennau 55–57 a gymerwyd o **Ac Yna Clywodd Sŵn y Môr**. Yna atebwch y cwestiynau sy'n dilyn yn llawn a gofalus gan ddyfynnu'n bwrpasol. (Ystyriwch y marciau a roddir am bob cwestiwn.)

(a) Mae Richard yn parcio'r car y tu allan i'r Wylan Wen. Pwy yw Richard? Pam mae'n bwysig i'r nofel? (3)

(b) Beth yw ystyr y geiriau 'Yr oedd wedi dyfalu'n gywir. Tan Ceris yr ail.'? (3)

(c) Ysgrifennwch hanes un olygfa arall yn y nofel ble mae Richard Jones yn chwarae rhan bwysig.
Dylech ysgrifennu tua hanner tudalen. (10)

(ch) Sut **gymeriad** yw Richard Jones?
Rhowch enghreifftiau o'r ffordd mae'n ymddwyn. (6)

(d)

(i) Edrychwch ar arddull llinell 16. Pam mae'r geiriau '*Aeth wyneb Richard yn bob lliw*' yn effeithiol? (2)

(ii) Edrychwch ar arddull llinellau 41–42. Pam mae'r geiriau '... *dyna oedd ei nai, un cwestiwn rhyfedd, un rhyfedd o'i streipen wen i'w sgidia' sglein*' yn effeithiol?

(iii) Chwiliwch am enghraifft arall o nodwedd arddull yn y darn.
- Dyfynnwch y nodwedd.
- Enwch y nodwedd.
- Dywedwch pam mae'r nodwedd yn effeithiol. (4)

(dd) Dychmygwch mai chi yw Now. Ysgrifennwch **ymson Now** ar ddiwedd y nofel.
Cofiwch sôn am y pethau sydd wedi digwydd.
Dylech ysgrifennu tua ¾ tudalen. (10)

(40)

HAEN UWCH

Darllenwch y darn isod a gymerwyd o **Ac Yna Clywodd Sŵn y Môr**. Yna atebwch y cwestiynau sy'n dilyn yn llawn a gofalus gan ddyfynnu'n bwrpasol. (Ystyriwch y marciau a roddir am bob cwestiwn.)

(a) Trafodwch **ddwy** olygfa o'r nofel sydd wedi eu gosod mewn tafarn ac eglurwch eu pwysigrwydd. (10 X 2)

(b) Sut mae'r darn yn cyfleu cymeriad Now Tan Ceris? (10)

(c) Ysgrifennwch ymson Richard Jones wedi gadael Yr Wylan Wen y noson honno. (10)

(40)

1 Daethant at Yr Wylan Wen a pharciodd Richard y car o flaen y drws.
2 Clodd y car a dilynodd ei ewythr drwy'r drws. Yn union. Yr oedd wedi
3 dyfalu'n gywir. Tan Ceris yr ail.
4 Yr oedd Now wrth y bar. Trodd at Richard.
5 'Be gymri di?'
6 'O, fi sy'n talu.'
7 Rhuthrodd Richard i'w boced i estyn ei waled, a chiliodd Now yn ôl yn
8 araf. Wedi'r cyfan, wedi cael ei wadd yno'r oedd ef. Os gwadd, gwadd.
9 Edrychodd Robin Williams ar Richard.
10 'Ti biau'r dyn dieithr 'ma Now?'
11 'Pawb â'i fusnes'i hun 'te.'
12 'Bydd fel 'na 'ta. Ydych chi'n perthyn?'
13 'O ydym, mi'r ydym ni'n perthyn,' meddai Now a rhyw olwg synfyfyriol
14 yn ei lygaid. 'Dyna pam y daeth o acw. I edrych sut gyflwr ydw i ynddo fo
15 ac i geisio cael gwybod faint sydd gen i i'w adael ar f'ôl iddo fo.'
16 Aeth wyneb Richard bob lliw. Bu bron iddo â throi ar ei sawdl a mynd
17 allan ond ailfeddyliodd a cheisiodd chwerthin gyda phawb arall.
18 Penderfynodd y dylai dosturio dros bawb a oedd yma; peth i dosturio
19 drosto oedd dylni, nid peth i wylltio yn ei gylch.
20 Ar ôl cael y diodydd mynnodd Richard eu bod yn mynd drwodd i'r parlwr
21 bach a oedd yn wag, er mwyn iddo gael mwy o wybodaeth am y tai gan ei
22 ewythr, ac er mwyn bod cyn belled ag oedd modd oddi wrth y ffyliaid
23 busneslyd yn y parlwr bach.
24 Ond yr oedd ei ewythr yn brysur fynd i dymer dda wrth i'w wydryn wagio.
25 Yr oedd yn hen bryd rhoi cynnig arni eto.

26 'Mae 'ma le braf,' palodd gelwyddau, 'does ryfadd 'mod i wrth fy modd
27 yma ers talwm.'
28 'Y lle gora, wel'di,' atebodd Now wrth estyn ei bwrs baco. 'Wyt ti am drïo
29 rowlan rwan 'ta?'
30 'Dim diolch. Ys gwn i pwy sy'n byw yn yr hen gornel fach honno o'r cae
31 rwan?'
32 'Y?'
33 'Wyddoch chi lle'r oeddwn i'n pabellu ers talwm? Ym mhen draw'r cae
34 bach hwnnw? Roeddwn i'n meddwl mai fi oedd biau'r llecyn a'r cae a'r
35 pentre a'r mynydd. Mi fyddwn i'n rheoli'r holl fyd o'r babell fach.'
36 'Wel aros di, mae'n anodd deud fel hyn braidd, ond mi fyddwn i'n meddwl
37 mai rhywle'n ymyl tŷ Gladys neu dŷ Wil Parri fyddai dy babell di. Synnwn i
38 ddim mai rhywle'r ffor' honno oedd terfyn yr hen gae bach.'
39 'Pwy ydy Gladys a Wil Parri?'
40 Cododd Now ei aeliau. Cwestiwn braidd yn rhyfedd i ddyn hollol ddieithr,
41 meddyliai. Ond wedyn, dyna oedd ei nai, un cwestiwn rhyfedd, un rhyfedd
42 o'i streipen wen i'w 'sgidiau sglein.'
43 'Duw, mi wnâi Gladys wraig dda i ti,' meddai gan wenu'n braf i'w beint.
44 'Pam na sythi di ar ei hôl hi?'
45 Dechreuodd bwffian chwerthin wrth gau ei smôc. Dychmygai weld ei nai
46 mewn gwely gyda Gladys Drofa Ganol. Daeth yr olygfa'n fyw iddo ac aeth
47 y chwerthin yn waeth.
48 'Pam nad ei di ati am sbort?'
49 'Pam? Ydy hi'n un wyllt?'
50 'Gwyllt?' Methai Now ag atal ei chwerthin. Dechreuodd y dagrau lifo.
51 'Gwyllt ar y diawl, achan.'
52 'Ifanc ydy hi?'
53 'Dibynnu.'
54 'Sut?'
55 'Dos yno ac mi gei di weld drosot dy hun.'
56 Teimlai Richard yn anniddig. Yr oedd ei ewythr yn dechrau tynnu coes eto,
57 ac ni wyddai sut i ymateb.
58 'Mi gawn groeso felly?'
59 'Ella. Gwraig weddw ydy hi. Mi sodra Gladys di.'
60 'Faint ydy 'hoed hi?'
61 'Tynnu am y deg a thrigain 'ma.'
62 Chwarddodd Now eto wrth weld llygaid ei nai'n bradychu'r siom o gael ei
63 wneud. Braidd yn groendena ydi o, meddai wrth ei flwch matsys wrth
64 danio'r smôc.

65 'Pwy ydy Wil Parri 'ta?'
66 Cyn i Now gael ateb agorodd drws y dafarn a daeth heddwas i mewn.
67 Daeth i'r parlwr bach.
68 'Wel, wel, wedi colli'r almanac, Owen Jones?'
69 'Tynn y gôt 'na a'r peth dal way 'na sy gen ti ar dy ben a stedda i lawr. Mi
70 gei beint. Well o lawar i ti na cherddad y pentra 'ma,' meddai Now.
71 'Na, mae'n well i mi beidio. Be ddaeth â thi i lawr ar nos Lun? Chest ti
72 ddim digon nos Sadwrn?'
73 'Entyrtên, Cwnstabl Hughes. Weli di'r dyn dearth 'ma? Perthynas gwaed.'
74 Gwenodd yr heddwas ar Richard.
75 'Chi ddaeth â fo? Mi gewch gythral o waith i'w gael o adra, coeliwch fi.'
76 Chwarddodd Richard gan benderfynu bod hynny'n ddigon o ateb. Hwn
77 oedd yr heddwas a'i holasai yn yr ysbyty bum mlynedd yn ôl. Rhag ofn
78 bod yr heddwas yn cofio hynny, a rhag ofn iddo sôn am y peth yng
79 ngŵydd ei ewythr, teimlodd mai'r peth gorau i'w wneud oedd mynd i'r
80 cefn am ychydig.

ATEB ENGHREIFFTIOL
HAEN SYLFAENOL

(a) Mae Richard yn parcio'r car y tu allan i'r Wylan Wen. Pwy yw Richard? Pam mae'n bwysig i'r nofel? (3)

> Richard Jones yw ei enw llawn. Mae'n bwysig i'r nofel oherwydd bum mlynedd ynghynt roedd wedi dwyn gemau o siop yn Wrecsam ac wedi eu claddu ble mae tŷ Gladys Drofa Ganol erbyn hyn. Mae wedi dod yn ôl i Hirfaen i'w cael.

(b) Beth yw ystyr y geiriau 'Yr oedd wedi dyfalu'n gywir. Tan Ceris yr ail.'? (3)

> Yr oedd Richard newydd fod yn Nhan Ceris a gweld nad oedd y tŷ wedi newid fawr ddim ers pan oedd ef yn blentyn. Yr oedd yn hen ffasiwn gydag oelcloth ar lawr a gweddol lân oedd. Disgwyliai i'r Wylan Wen fod yr un fath.

(c) Ysgrifennwch hanes un olygfa arall yn y nofel ble mae Richard Jones yn chwarae rhan bwysig. Dylech ysgrifennu tua hanner tudalen. (10)

> Ar ddechrau'r nofel mae Richard Jones yn claddu'r gemau yng ngornel un o gaeau Tan Ceris. Mae'n tynnu'r tywyrch yn ofalus ac yn eu gosod â'u pennau i lawr wrth ei ymyl cyn tyllu a rhoi'r pridd ar ddarn o bapur. Daw ar draws carreg ar siâp pyramid. Mae'n llwyddo i'w chodi ac yn ei rhoi ar y papur. Mae'n mesur y twll ac yn gweld ei fod yn ddwy droedfedd a hanner. Mae'n fodlon ar hyn oherwydd mae'n gwybod y bydd dwy droedfedd o bridd ar ben y blwch gemau a bydd hynny'n ddigon i'w ddiogelu hyd byth.
> Cerdda at y clawdd ble mae wedi cuddio'r blwch ac mae'n aros i geisio clywed sŵn y môr fel y gwnaeth ar noson stormus ers talwm. Yr oedd y môr yn llawer rhy dawel heno.
> Daw Richard yn ôl i'r cae ac â ar ei liniau i osod y blwch ar waelod y twll. Yna mae'n rhoi pridd ar ei ben gyda'i ddwylo rhag ofn iddo dyllu'r papur gyda'r rhaw. Gwasga'r pridd a'r garreg gyda gordd.
> Erbyn iddo roi'r tywyrch yn eu holau yr oedd yn tywallt y glaw. Yr oedd arno ofn gadael y mymryn lleiaf o bridd ar y glaswellt felly rhoddodd ei got o dan y papur a'i gario at y gwrych ble y taflodd y pridd oedd yn weddill.
> Pan aeth yn ôl at y twll i gasglu'r rhaw a'r ordd rhoddodd ei fflachlamp ymlaen ac roedd yn fodlon iawn ar ei waith taclus.
> I gyrraedd y car yr oedd yn rhaid iddo ddringo dros dri gwrych a cherdded ar draws dau gae ac roedd yn wlyb at ei groen.

(ch) Sut **gymeriad** yw Richard Jones?
Rhowch enghreifftiau o'r ffordd mae'n ymddwyn. (6)

Mae Richard Jones yn ddyn slei a chyfrwys iawn. Mae'n darganfod fod Harri Evans yn yr ysbyty ac mae arno eisiau gwybod a ydy e wedi marw ac felly mae'n ffonio ac yn dweud ei fod yn perthyn. Mae arno ofn i Harri ddweud hanes y dwyn wrth yr heddlu.
Mae hefyd yn ofalus ac yn drylwyr fel pan mae'n claddu'r gemau. Mae'n ymddwyn yr un fath pan mae'n cloddio amdanyn nhw yn sied Gladys. Dydy Meredydd ac Einir ddim yn ei hoffi. Maen nhw'n ei weld yn rhy fusneslyd. Mae hefyd yn benderfynol o gael y gemau.

(d)

(i) Edrychwch ar arddull llinell 16. Pam mae'r geiriau '*Aeth wyneb Richard yn bob lliw*' yn effeithiol? (2)

Mae'r frawddeg yn dangos bod Richard wedi cochi at ei glustiau oherwydd fod ganddo gywilydd. Mae Now newydd wneud hwyl ar ei ben trwy ddweud eu bod yn perthyn a bod Richard wedi dod yno i weld pa mor iach yw Now a faint o arian sydd ganddo i'w adael iddo.

(ii) Edrychwch ar arddull llinellau 41–42. Pam mae'r geiriau '*... dyna oedd ei nai, un cwestiwn rhyfedd, un rhyfedd o'i streipen wen i'w sgidia' sglein*' yn effeithiol? (2)

Mae 'un cwestiwn rhyfedd' yn drosiad am Richard Jones oherwydd y cwbl mae'n ei wneud yw holi cwestiynau. Eisiau gwybod ble mae cornel y cae ble claddodd y gemau sydd arno ond nid yw Now yn gwybod hynny. Mae dweud 'o'i streipen wen i'w sgidia sglein' yn effeithiol oherwydd mae'n rhoi disgrifiad o Richard Jones fel dyn sydd fel pin mewn papur o'i ben i'w draed. Mae'n hollol wahanol i Now.

(iii) Chwiliwch am enghraifft arall o nodwedd arddull yn y darn.
- Dyfynnwch y nodwedd.
- Enwch y nodwedd.
- Dywedwch pam mae'r nodwedd yn effeithiol. (4)

Pan wêl Gareth Hughes Now yn y dafarn a hithau'n nos Lun mae'n gofyn 'Wedi colli'r almanac?' Rhyw fath o galendr ydy almanac ac mae hwn yn drosiad. Mae'n effeithiol oherwydd mae'n awgrymu fod Now wedi cymysgu dyddiau oherwydd ar nos Sadwrn a nos Iau y byddai'n arfer mynd i'r Wylan Wen.

(dd) Dychmygwch mai chi yw Now. Ysgrifennwch **Ymson Now** ar ddiwedd y nofel. Cofiwch sôn am y pethau sydd wedi digwydd.
Dylech ysgrifennu tua ¾ tudalen. (10)

Wel, mae'r diawl digywilydd wedi cael ei haeddiant! Na, nid chdi, Dwalad bach, ond y Richard yna. Roist ti lond bol o ddychryn iddo fo hefyd pan alwodd o yn Nhan Ceris. Roeddat ti fel rhyw anifail gwyllt yn neidio ar y car ac yn ysgyrnygu. Dw i'n siwr fod Richard bron llenwi ei drowsus! Dw i'n gwbod dy fod ti'n swnyn ac yn hen uffar styfnig ond doeddat ti ddim yn haeddu cael dy ladd chwaith.
Ond dyna fo, doedd gan y diawl Richard yna ddim parch at neb na dim. Yr unig beth roedd o isio gwybod am Harri Evans oedd a oedd o wedi marw. Ond nefi wen, roedd o'n benderfynol! Holi. Holi, holi fel pwll y môr. Dw i'n dallt pam rwan! Ond mi gafodd o ail! Cwt gardd Gladys Drofa Ganol o bawb ar ben ei emau fo! Mi gafodd honno andros o sioc pan fu bron iddo fo ei tharo i lawr gyda'i gar! Doedd hyd yn oed hi ddim yn haeddu hynny! A tybad ai gweld Richard ganol nos roddodd y farwol iddi?
Roedd Meredydd ac Einir wedi gweld trwyddo fo hefyd. Roedd yn gas gan Einir o – roedd o'n gyrru iasau i lawr ei hasgwrn cefn. Mi gafodd Meredydd lond bol ar ei holi fo ond does ryfadd yn y byd ei fod yn holi Meredydd ac yntau wedi bod yn cynllunio'r stad!
... Hen gwpwl iawn ydy'r rheina. Dw i'n andros o falch dros Meredydd ar ôl popeth mae o wedi mynd trwyddo – colli ei rieni yn y ddamwain yna ac wedyn cael bai ar gam am dreisio Bethan Gwastad Hir. Un am hel dynion ydy honno, yn union fel ei mam. Ond ella y callith hi rwan mae hi efo Gwyn Llefrith. Dydw i ddim yn meddwl y callith Huw byth – os nad ydy'r gurfa gafodd o gan Gareth Hughes wedi rhoi rhywfaint o wers iddo fo. Plisman o bawb yn ymosod ... Tipyn o foi!

(40)

HAEN UWCH

(a) Trafodwch **ddwy** olygfa o'r nofel sydd wedi eu gosod mewn tafarn ac eglurwch eu pwysigrwydd. (10 X 2)

Golygfa 1

Y noson y caiff Meredydd ei ryddhau mae Now yn mynd i'r Wylan Wen. Mae'r olygfa'n bwysig oherwydd ynddi cawn wybodaeth am rai o gymeriadau'r nofel fel Bethan Gwastad Hir sy'n un am 'ddangos ei chluniau' i ddynion fel ei mam, meddai Now, Huw, ei brawd, sy'n 'ddigon gwirion i rywbeth' meddai Wil Aberaron a Gladys Drofa Ganol sy'n 'rhyw fudr berthyn i'r petha Gwastad Hir 'na' meddai Gwilym y cigydd. Mae'n amlwg nad oes parch iddyn nhw yn yr ardal. Pan ddywed Now fod Meredydd yn 'hen hogyn iawn' ac yn 'un o'r goreuon' wnaeth neb anghytuno ag ef. Felly, mae barn y darllenwyr yn cael ei lywio yma. Mae'r olygfa hon yn bwysig oherwydd mae'n cyflwyno'r elfen gymdeithasol sydd yn y nofel.

Golygfa 2

Y diwrnod wedi i Huw ymosod arno teimlai Meredydd yn ben isel. Er na fyddai byth yn mynd yno galwodd yng ngwesty'r Erddig yn Llanaron. Dyma pryd y cyfarfu ag Einir am y tro cyntaf. Yr oedd hi'n eistedd y tu ôl i'r bar yn darllen. Mae'n ei bryfocio ar unwaith trwy ofyn 'Sut olwg sydd ar y llall?' gan gyfeirio at lygad ddu Meredydd. Mae hefyd yn dweud mai Veronica Maud yw ei henw. Hoffodd Meredydd yr agosatrwydd yn ei llais ar unwaith a dyma'r tro cyntaf i neb dieithr beidio â'i alw'n 'chi' ers talwm iawn. Mae Meredydd yn magu digon o hyder i'w gwadd am fwyd ond daw ei gyflogwr a'i wraig yno a chânt fwyd gyda hwy. Yn dilyn hyn datblyga'r garwriaeth rhwng Meredydd ac Einir ac mae'r olygfa'n bwysig am ei bod yn cyflwyno'r thema serch.

(b) Sut mae'r darn yn cyfleu cymeriad Now Tan Ceris? (10)

Cymeriad Now Tan Ceris

Cyn mynd i Dan Ceris yr oedd Richard Jones wedi meddwl y gallai gael unrhyw wybodaeth allan o Now ond buan y 'sylweddolodd gyda siom fod y dyn gyferbyn ag ef yn rhy gymhleth iddo allu ei drin fel y dymunai; nid gwladwr syml llyncu popeth a eisteddai o'i flaen ond dyn a thafod a meddwl fel rasel.' Caiff hyn ei gadarnhau yn y darn dan sylw oherwydd mae'n amau fod Richard Jones ar ôl ei arian. Mae'n ddigon cyfrwys i adael i Richard Jones dalu am ei ddiod – 'wedi'r cyfan, cael ei wadd yno roedd ef,' meddyliodd! Mae ailadrodd y gair 'gwadd' yn pwysleisio'r gwahoddiad!

Mae cyferbyniad llwyr rhyngddo ef a Richard o ran ymddangosiad a dyna pam mae'n wfftio at daclusrwydd sidêt a pharchus ei nai – y streipen wen yn ei wallt a'i sgidiau sgleiniog. Mae sain yr 's' yn cyfleu ei falais.

Mae'n berson sy'n adnabod pobl yn dda. Yn y trosiad 'un cwestiwn mawr' mae'n cyfleu pa mor ymholgar ydy Richard. Yma sylweddola fod Richard yn groendenau a manteisia ar hynny trwy ei bryfocio am Gladys Drofa Ganol. Caiff lawer iawn o hwyl yn gwneud hyn.

Pan ddaw Gareth Hughes i mewn mae'n ei bryfocio yntau trwy ddweud wrtho am dynnu'r 'peth dal wya 'na' sydd ganddo ar ei ben, trosiad sy'n cyfleu union siâp helmed plismon. Defnyddia Now ddywediadau gwreiddiol fel hyn trwy'r nofel.

Yn y darn dan sylw mae'n rhegi , 'Gwyllt ar y diawl,' ond does dim yn gas yn ei regfeydd. Mae ganddo hefyd dafodiaith Pen Llŷn e.e. 'mi sodra Gladys di' a chymreigia eiriau Saesneg e.e. 'entyrtên'.

(c) Ysgrifennwch ymson Richard Jones wedi gadael Yr Wylan Wen y noson honno. (10)

Ymson Richard Jones wedi gadael Yr Wylan Wen

Un dogn arall o wisgi ac un sigaret arall ac mi â i i ngwely. Dw i'n haeddu hyn! Mi agorodd yr Owen Jones 'na ei geg o'r diwedd! Roedd hi'n werth llenwi ei fol gyda chwrw. Go simsan oedd o ar ei draed pan ollyngais i o lawr wrth giat Tan Ceris. Diolch byth doedd dim rhaid i mi fynd i'r tŷ afiach 'na eto! Oelcloth ar lawr yn yr oes hon! Ond o leia mae 'na ddŵr tap yno erbyn hyn. A'r ci 'na! Mi allwn i ladd y diawl am fod mor ffyrnig! A sut enw ydy Dwalad ar gi? Dydy'r dyn 'na ddim yn gall.

Pawb yn y dafarn ceiniog a dima yr un fath! Josgins go iawn yn gwneud jôcs plentynnaidd ac yn gwneud i mi edrych fel ffŵl. Ond mi ges i'r wybodaeth rôn i isio.

I feddwl fod y gemau yng ngardd y ddynes 'na fu bron i mi ei lladd – Gladys Drofa Ganol neu rywbeth a drws nesa i'r dyn digroeso hwnnw welais i yn y bar amser cinio. Fedra i ddim deall be mae'r ferch rywiol tu ôl i'r bar yn ei weld ynddo fo a fedrwn i gael dim gwybodaeth am y stad ganddo fo.

Mi â i i chwilio am fap ben bore fory. Ond oes angen map arna i? Mi fydd gan y penseiri gynlluniodd y tai blan o'r lle fel yr oedd cyn dechrau adeiladu. Taswn i'n cael gafael ar hwnnw mi fedrwn i gymharu'r mesuriadau â'r rhai gymerais i bum mlynedd yn ôl – gan obeithio bod y goeden a'r polyn trydan ar y plan. Wedyn dim ond cael plan gorffenedig o'r stad ac mi fydda i'n gwybod ble mae'r diemwntau! Diolch Yncl Now!

Bydd yn rhaid i mi fod yn ofalus wrth gael gafael ar y planiau. Ble ca i nhw? Y penseiri? (Ond rhaid cofio bod y boi sych 'na'n gweithio iddyn nhw). Y Cyngor Dosbarth? Y Cyngor Sir? Y Bwrdd Trydan?

A sut? Gofyn yn gwrtais ynteu eu dwyn? Mi fydd yn rhaid i mi feddwl yn ofalus am hyn ond cwsg amdani rwan! Mae wedi bod yn noson broffidiol!

(40)

13. Cwis

Tasg 1 – AM BWY? GAN BWY? BLE/PRYD? ARWYDDOCÂD?
Ar y daflen ateb ysgrifennwch:

- **pwy sy'n dweud y geiriau hyn**
- **am bwy maen nhw'n sôn**
- **ble/pryd maen nhw'n cael eu dweud**
- **beth yw eu harwyddocâd.**

1. 'Dyn clyfar iawn.'
2. 'Hen hogyn iawn y cefais i o bob amser. Mi wyddwn yn iawn na wnâi o byth frifo neb.'
3. 'Hen beth wirion ydy honno. Tynnu ar ôl ei mam.'
4. 'Mae o'n mynd yn wirion bost yn ei ddiod ac mae o'n hen uffar slei.'
5. 'Mae hi'n rhyw fudr berthyn i'r petha Gwastad Hir 'na.'
6. 'Yr oedd ei cheg yn agored led y pen a'r glafoer, heb iddi sylwi, yn ffos i lawr ei gên.'
7. 'Mae hi wedi gordro ei harch yn barod, un â pherisgop yn sownd ynddi.'
8. 'Hen sgriwan hyll.'
9. 'Hen beth iawn ydy ... un o'r goreuon.'
10. 'Hogi'i thafod tua'r pentref.'
11. 'Yr oedd ... yn mynd yn ormod o lanc.'
12. 'William Hughes o ddiawl.'
13. 'Dydych chi ddim ffit i fod ar lôn yng nghanol pobol.'
14. 'I be dach chi'n feddwl dach chi'n ca'l eich talu?'
15. Deuai cwyn bron yn fisol am rywbeth neu'i gilydd byth er pan fu ei gŵr farw.
16. 'Mae'n rhaid i hwn gael ei drin gyda gofal. Rhaid i ni gael llawer o amynedd gyda hwn.'
17. 'Dda gen i mono fo. Hen ddyn rhyfedd ydy o. Mae 'na rywbeth oer yn chwara i fyny ac i lawr fy asgwrn cefn bob tro mae o'n agos.'
18. Yr oedd yn siwr fod y newydd ddyfodiad yn datod gwisg Einir fesul botwm yn ei feddwl wrth iddo edrych arni.
19. Veronica Maud.
20. Yr oedd golwg ar wyneb y dyn pan yn troi i fynd i'r bar yn ei ddychryn braidd.
21. 'Yr hen uffar slei iddo fo.'

22. 'Hen grimpan o ddynas gegog, fusneslyd.'
23. Yr oedd rhyw fymryn o gi yn ei wneud yn sbort.
24. Ni chynhyrfwyd ... 'run blewyn.
25. ... sylweddolodd gyda siom fod y dyn gyferbyn ag ef yn rhy gymhleth iddo allu ei drin fel y dymunai; nid gwladwr syml llyncu popeth a eisteddai o'i flaen ond dyn â thafod a meddwl fel rasel.
26. Yr oedd y bobl hyn yn anobeithiol. O ddod a lle fel Sant Aron o dan eu trwynau ni wnaent ddim ag ef ond aros yn yr un hen rigol undonog.
27. 'Yr hen lipryn anghynnas iddo fo.'
28. 'Hen gnawas flin.'
29. 'Yli'r twmpath digwilydd. Mi ferwa 'i wy wedi ffrïo i ti.'

Taflen ateb

Dyfyniad	Pwy sy'n dweud	Am bwy	Ble/Pryd	Arwyddocâd

Tasg 2
RHOI TREFN AR DDIGWYDDIADAU

Rhowch y brawddegau hyn yn eu trefn gywir:

Penodau 1 a 2
1. Huw yn ymosod ar Meredydd wrth iddo gerdded adref o'r Wylan Wen.
2. Richard Jones yn cael damwain car ar allt Ceris.
3. Meredydd yn cael ei ddyfarnu'n ddieuog yn y llys.
4. Gladys Drofa Ganol yn cael sioc o glywed ar y newyddion bod Meredydd wedi cael ei ryddhau.
5. Robin Gwastad Hir yn gwylltio gyda'i deulu.
6. Meredydd yn mynd i siopa yn y pentref.
7. Bethan a Huw yn creu helynt yn y llys.
8. Huw yn bygwth Meredydd yn y garej.
9. Meredydd yn mynd i'r Wylan Wen ac yn cael croeso.
10. Richard Jones yn claddu bocs yn y cae.
11. Meredydd yn cyrraedd adref i weld llanast yn y tŷ.
12. Now Tan Ceris yn mynd i'r Wylan Wen a chlywed bod Meredydd wedi ei ryddhau

Penodau 3, 4, 5
1. Richard Jones yn yr ysbyty.
2. Richard Jones yn mynd i chwilio am y gemau ac yn darganfod bod tai stad Maes Ceris wedi eu hadeiladau ar y caeau.
3. Idwal Roberts, bos Meredydd, yn dod i'r Erddig ac yn gwahodd Meredydd am fwyd.
4. Idwal Roberts, Meredydd ac Einir yn cael pryd o fwyd.
5. Yr Arolygydd yn cael stori Harri Evans yn yr ysbyty.
6. Harri Evans yn marw.
7. Einir yn cytuno i fynd am fwyd gyda Richard.
8. Richard Jones yn ffonio'r ysbyty.
9. Richard Jones bron â tharo Gladys Davies.
10. Gladys yn mynd at Gareth Hughes i gwyno fod rhywun wedi ceisio ei lladd.
11. Richard Jones yn cyrraedd Yr Erddig.
12. Meredydd yn cyfarfod Einir yn Yr Erddig.

Penodau 6, 7, 8

1. Richard Jones yn mynd i weld Now ar fferm Tan Ceris.
2. Meredydd yn mynd i'r Erddig i weld Einir a chael cinio.
3. Gladys yn gwylltio wedi gweld Meredydd yn dod ag Einir i'r tŷ.
4. Richard Jones yn mynd â Now am beint i'r Wylan Wen.
5. Gareth Hughes yn dod i'r Wylan Wen ac yn darganfod pwy ydy Richard Jones.
6. Meredydd yn dweud hanes damwain ei rieni wrth Einir.
7. Richard Jones yn dod i'r bar ac yn holi Meredydd am ei waith.
8. Richard Jones yn penderfynu cael cynlluniau'r stad.
9. Meredydd yn gweld Bethan a'i mam mewn siop yn y dref.
10. Meredydd ac Einir yn mynd am dro ar Lwybr Uwchlaw'r Môr.
11. Yr Arolygydd a'r sarsiant yn holi Gareth Hughes am y ddamwain bum mlynedd ynghynt.
12. Gladys yn gweld cysgod rhywun yn symud yn yr ardd.

Penodau 9 a 10

1. Gareth yn ffonio'r heddlu i wneud yn siwr eu bod yn dal Huw yn yfed a gyrru.
2. Gareth Hughes yn mynd â'i bastwn o'r tŷ ac yn mynd i'r Wylan Wen i brynu matstys.
3. Angladd Gladys a Huw ddim yno. Now Tan Ceris yn gwybod pam.
4. Yr arolygydd yn gwylio Richard Jones yn mynd i swyddfa Idwal Roberts, y pensaer.
5. Gareth yn taflu sach dros ben Huw a'i bastynu a'i ddyrnu.
6. Einir yn gofyn i Meredydd fynd â hi adref i Borthmadog i weld ei rhieni.
7. Meredydd yn gofyn i Einir ddyweddïo a hithau'n dweud, 'Dydy mis ddim yn ddigon o amser.'
8. Huw Gwastad Hir yn cael £300 a hanner tŷ ar ôl Gladys.
9. Wil Garej yn ffonio Gareth Hughes.
10. Gorfodi Huw i daflu i fyny.
11. Robin Hughes, Gwastad Hir a Meredydd yn siarad gyda'i gilydd.
12. Huw yn dweud, 'Rhwng Anti Gladys a Meredydd Parri mi fydd hers Wil Garej yn brysur ar y diawl.'
13. Richard Jones yn gwylio trwy sbïenddrych ar ben mynydd Ceris ac yn gweld hers yn mynd i dŷ Gladys.

Pennod 11

1. Y plismyn yn torri i mewn i'r sied.
2. Dwalad yn brathu ffêr Richard Jones.
3. Lleisiau plismyn y tu allan i'r sied.
4. Richard Jones yn gorfod tyllu twnnel.
5. Richard Jones yn dianc ac yn mynd trwy erddi'r tai.
6. Côt Richard Jones yn cael ei dal gan bigyn o graig
7. Meredydd yn dweud wrth Richard Jones bod llygod mawr yn crwydro gerddi Maes Ceris.
8. Meddwl Richard Jones ymhell o fod yn dawel pan oedd ar y ffordd i Hirfaen tua 10.30 o'r gloch.
9. Richard Jones yn mynd allan trwy'r ffenest i ail gloi'r drws.
10. Richard Jones yn crio fel babi ac yn tanio sigaret.
11. Richard Jones yn rhowlio i lawr ochr y cae.
12. Richard Jones yn agor y clo clap ar y drws.

Pennod 12

1. Now yn mynd i gladdu Dwalad.
2. Meredydd yn gwrthod siarad â'r dyn teledu hunan bwysig.
3. Y plismyn yn dal i chwilio am y gemau.
4. Dau hofrennydd uwchben Mynydd Ceris.
5. Meredydd ac Einir yn mynd yn ôl i Hirfaen ar ôl cinio.
6. Meredydd yn ffonio Einir ychydig wedi chwech o'r gloch y bore.
7. Plismon yn ceisio rhwystro Meredydd ac Einir rhag mynd i Dan Ceris.
8. Meredydd yn gwylltio'n gandryll.
9. Now yn dweud bod y plismyn wedi mynd trwy ei dŷ gyda chrib fân ganol nos.
10. Dod o hyd i gorff Richard Jones.
11. Gormod o bobl ar y traeth i Meredydd ac Einir fynd i nofio.
12. Meredydd yn gwneud hwyl ar ben y plismyn trwy ddweud eu bod yn y 'twll' anghywir os oedden nhw'n chwilio am Gladys.

Atebion

Tasg 1

AM BWY? GAN BWY? BLE/PRYD? ARWYDDOCÂD?

Dyfyniad	Pwy sy'n dweud	Am bwy	Ble/Pryd	Arwyddocâd
Dyn clyfar iawn.	Gareth Hughes	Richard Jones	Wedi i'r heddlu golli golwg arno am noson.	Sylweddoli pa mor slei ac anodd ei ddal ydy Richard Jones.
Hen hogyn iawn y cefais i o bob amser. Mi wyddwn yn iawn na wnâi o byth frifo neb.	Now Tan Ceris	Meredydd	Yn Yr Wylan Wen ar ôl i Meredydd gael ei ddyfarnu'n ddieuog.	Roedd Now wedi achub cam Meredydd trwy'r amser ac mae'n amlwg yn ei hoffi.
Hen beth wirion ydy honno. Tynnu ar ôl ei mam.	Now Tan Ceris	Bethan Gwastad Hir	Yn angladd Gladys.	Profi mai Bethan oedd yn dweud celwydd.
Mae o'n mynd yn wirion bost yn ei ddiod ac mae o'n hen uffar slei.	Robin, tafarnwr Yr Wylan Wen	Huw Gwastad Hir	Rhybuddio Meredydd yn yr Wylan Wen.	Cefnogi Meredydd ac yn amlwg ddim yn hoffi Huw.
Mae hi'n rhyw fudr berthyn i'r petha Gwastad Hir 'na.	Now Tan Ceris	Gladys Drofa Ganol	Yn Yr Wylan Wen ar ôl i Meredydd gael ei ddyfarnu'n ddieuog.	Roedd Gladys yn gyfnither i Bet. Mae defnyddio'r gair 'petha' yn dangos diffyg parch ac mae'r ffaith fod Now yn gwybod beth yn union ydy'r berthynas yn dangos pa mor glòs ydy'r gymdeithas yn Hirfaen.
Yr oedd ei cheg yn agored led y pen a'r glafoer, heb iddi sylwi, yn ffos i lawr ei gên.	Disgrifiad yr awdur	Gladys Drofa Ganol	Pan mae Gladys yn clywed ar y newyddion fod Meredydd yn rhydd ac yn ddieuog.	Mae'n ddarlun cartwnaidd o Gladys.

Dyfyniad	Pwy sy'n dweud	Am bwy	Ble/Pryd	Arwyddocâd
Mae hi wedi gordro ei harch yn barod, un a pherisgop yn sownd ynddi.	Meredydd	Gladys Drofa Ganol	Pan ddaeth Margaret, ei fodryb, i helpu Meredydd i glirio'r llanast yn ei dŷ. Roedd newydd weld Gladys yn 'dal i sbecian' trwy'r ffenest.	Mae'n gwneud hwyl ar ei phen trwy ddweud y byddai arni angen perisgop i fusnesu ac i weld pwy oedd yn ei hangladd hi ei hun.
Hen sgriwan hyll.	Meredydd	Gladys Drofa Ganol	Pan ddaeth Margaret, ei fodryb, i helpu Meredydd i glirio'r llanast yn ei dŷ. Roedd newydd weld Gladys yn 'dal i sbecian' trwy'r ffenest.	Mae hi'n berson annifyr.
Hen beth iawn ydy ... un o'r goreuon.	Meredydd	Now Tan Ceris	Mae modryb Meredydd newydd ddweud wrtho fod Now wedi ei stopio pan oedd ar ei ffordd yno i longyfarch Meredydd ar ddod yn rhydd. Fuodd o erioed mor falch, meddai.	Roedd modryb Meredydd yn gallu dweud ei fod yn ddidwyll.
Hogi'i thafod tua'r pentref.	Meredydd	Gladys Drofa Ganol	Meddyliau Meredydd wrth iddo fynd heibio tŷ Gladys a'i weld yn wag.	Mae dweud 'hogi' yn awgrymu bod ganddi dafod finiog a chas fel cyllell.
Yr oedd ... yn mynd yn ormod o lanc.	Gareth Hughes	Huw Gwastad Hir	Mae'r plismon yn meddwl hyn wedi i Huw ymosod ar Meredydd.	Y plismon lleol yn adnabod ei gwsmeriaid

Dyfyniad	Pwy sy'n dweud	Am bwy	Ble/Pryd	Arwyddocâd
William Hughes o ddiawl.	Harri Evans	Richard Jones	Mae Harri'n dweud hyn wrth yr Arolygydd yn yr ysbyty.	Mae'n dweud 'o ddiawl' oherwydd enw ffug ar Richard Jones ydy William Hughes.
Dydych chi ddim ffit i fod ar lôn yng nghanol pobol.	Gladys Drofa Ganol	Richard Jones	Pan bu bron i Richard ei tharo. Mae hi wedi dychryn ac yn dweud y drefn wrtho.	Gladys yn dweud y drefn wrth bawb.
I be dach chi'n feddwl dach chi'n ca'l eich talu?	Gladys Drofa Ganol	Gareth Hughes	Pan mae Gladys yn mynd at y plismon i ddweud sut y bu bron iddi gael ei tharo gan gar melyn.	Tafod finiog gan Gladys.
Deuai cwyn bron yn fisol am rywbeth neu'i gilydd byth er pan fu ei gŵr farw.	Gareth Hughes yn hel meddyliau	Gladys Drofa Ganol	Pan mae Gladys yn mynd at y plismon i ddweud sut y bu bron iddi gael ei tharo gan gar melyn.	Mae wedi hen arfer ei chlywed yn cwyno.
Mae'n rhaid i hwn gael ei drin gyda gofal. Rhaid i ni gael llawer o amynedd gyda hwn.	Yr Arolygydd	Richard Jones	Ymateb yr Arolygydd i Gareth Hughes pan ddywed am Richard Jones, 'Pam na ddyrnwch chi'r gwir ohono fo?'	Mae'r Arolygydd yn sylweddoli pa mor slei a chyfrwys ydyw. Dywed ei fod yn 'ddyn clyfar, yn ddyn clyfar iawn'.
Dda gen i mono fo. Hen ddyn rhyfedd ydy o. Mae 'na rywbeth oer yn chwara i fyny ac i lawr fy asgwrn cefn bob tro mae o'n agos.	Einir	Richard Jones	Einir sy'n dweud hyn wrth Meredydd.	Nid yw Einir yn hoffi Richard Jones.

Dyfyniad	Pwy sy'n dweud	Am bwy	Ble/Pryd	Arwyddocâd
Yr oedd yn siwr fod y newydd ddyfodiad yn datod gwisg Einir fesul botwm yn ei feddwl wrth iddo edrych arni.	Meredydd sy'n meddwl	Richard Jones	Pan ddaeth Richard i eistedd at Meredydd ac Einir wrth y bar yn yr Erddig.	Awgrym fod Richard Jones yn ddyn rhywiol.
Veronica Maud.	Einir		Einir yn pryfocio Meredydd mai dyna yw ei henw.	Dangos bod Einir yn hoffi tynnu coes – cael hwyl wrth weld wyneb Meredydd yn disgyn.
Yr oedd golwg ar wyneb y dyn pan yn troi i fynd o'r bar wedi ei dychryn braidd.	Disgrifiad yr awdur	Richard Jones yw'r dyn	Ym mar Yr Erddig.	Mae ymddygiad ac agwedd y dyn yn codi ofn ar Einir.
Yr hen uffar slei iddo fo.	Meredydd	Richard Jones	Wedi i Richard adael Meredydd ac Einir wrth y bar. Roedd wedi ceisio holi Meredydd am gynlluniau Maes Ceris a Meredydd wedi gweld trwyddo a pheidio ag ateb ei gwestiynau.	Meredydd yn sylweddoli pa mor gyfrwys ydy Richard Jones.
Hen grimpan o ddynas gegog, fusneslyd.	Meredydd	Gladys Drofa Ganol	Pan mae Einir a Meredydd yn gweld Gladys yn sbecian trwy'r ffenest.	Mae'r darlun o Gladys fel hen ddynes sur a busneslyd yn ymddangos trwy gydol y nofel.

Dyfyniad	Pwy sy'n dweud	Am bwy	Ble/Pryd	Arwyddocâd
Yr oedd rhyw fymryn o gi yn ei wneud yn sbort.	Disgrifiad yr awdur o Richard	Dwalad, ci Now Tan Ceris	Pan â Richard i Dan Ceris ac mae'n methu dod allan o'r car am fod Dwalad yn chwyrnu arno.	Yn dilyn hyn mae Now hefyd yn ei wneud yn destun sbort ac ar ddiwedd y nofel mae'r ci yn brathu Richard Jones yn giaidd ac mae yntau'n lladd y ci.
Ni chynhyrfwyd ...'run blewyn.	Disgrifiad yr awdur o Now		Ymateb digyffro Now pan mae'n sylweddoli pwy yw Richard Jones.	Mae'n ddyn sy'n cadw ei ben ym mhob achlysur ac nid yw'n cyffroi.
... sylweddolodd gyda siom fod y dyn gyferbyn ag ef yn rhy gymhleth iddo allu ei drin fel y dymunai; nid gwladwr syml llyncu popeth a eisteddai o'i flaen ond dyn a thafod a meddwl fel rasel.	Meddyliau Richard Jones	Now Tan Ceris	Pan mae Richard yn mynd i weld Now yn Nhan Ceris.	Roedd Richard wedi meddwl y byddai'n gallu cael gwybodaeth ganddo yn hawdd ac mai dyn bach diniwed oedd Now. Ond mae Now yn llawer rhy graff iddo ac wedi gweld trwyddo.
Yr oedd y bobl hyn yn anobeithiol. O ddod a lle fel Sant Aron o dan eu trwynau ni wnaent ddim ag ef ond aros yn yr un hen rigol undonog.	Richard Jones	Yr Wylan Wen	Yn Yr Wylan Wen.	Dangos agwedd snobyddlyd Richard Jones. Mae'n edrych i lawr ei drwyn ar y Cymry lleol sy'n yfed yno. Rhaid cofio ei fod yn dewis aros yn Yr Erddig ym Mhenerddig.
Yr hen lipryn anghynnas iddo fo.	Gladys Drofa Ganol	Meredydd	Dywed hyn wrth Gareth Hughes pan â ato i gwyno ei bod bron wedi cael ei tharo gan gar.	Does ganddi ddim byd da i'w ddweud am neb.

Dyfyniad	Pwy sy'n dweud	Am bwy	Ble/Pryd	Arwyddocâd
Hen gnawas flin.	Rhys, mab Gareth Hughes	Gladys Drofa Ganol	Ar ôl i Gladys gwyno wrth ei dad ei fod wedi tynnu stumiau arni.	Mae'n dangos nad ydy plant yr ardal yn ei hoffi.
Yli'r twmpath digwilydd. Mi ferwa'i wy wedi ffrïo i ti.	Einir	Meredydd	Ym mar Yr Erddig wedi iddynt fod yn siarad gyda Richard Jones.	Mae'n profi ei bod yn ferch bryfoclyd ac yn hollol gyfforddus yng nghwmni Meredydd.

Tasg 2

RHOI TREFN AR DDIGWYDDIADAU

Rhowch y brawddegau hyn yn eu trefn gywir:

Penodau 1 a 2

1. Richard Jones yn claddu bocs yn y cae.
2. Richard Jones yn cael damwain car ar allt Ceris.
3. Meredydd yn cael ei ddyfarnu'n ddieuog yn y llys.
4. Bethan a Huw yn creu helynt yn y llys.
5. Now Tan Ceris yn mynd i'r Wylan Wen a chlywed bod Meredydd wedi ei ryddhau.
6. Gladys Drofa Ganol yn cael sioc o glywed ar y newyddion bod Meredydd wedi cael ei ryddhau.
7. Meredydd yn cyrraedd adref i weld llanast yn y tŷ.
8. Robin Gwastad Hir yn gwylltio gyda'i deulu.
9. Meredydd yn mynd i siopa yn y pentref.
10. Huw yn bygwth Meredydd yn y garej.
11. Meredydd yn mynd i'r Wylan Wen ac yn cael croeso.
12. Huw yn ymosod ar Meredydd wrth iddo gerdded adref o'r Wylan Wen.

Penodau 3, 4, 5

1. Yr Arolygydd yn cael stori Harri Evans yn yr ysbyty.
2. Richard Jones yn yr ysbyty.
3. Meredydd yn cyfarfod Einir yn Yr Erddig.
4. Einir yn cytuno i fynd am fwyd gyda Richard.
5. Idwal Roberts, bos Meredydd, yn dod i'r Erddig ac yn gwahodd Meredydd am fwyd.
6. Idwal Roberts, Meredydd ac Einir yn cael pryd o fwyd.
7. Richard Jones yn cyrraedd Yr Erddig.
8. Harri Evans yn marw.
9. Richard Jones yn ffonio'r ysbyty.
10. Richard Jones yn mynd i chwilio am y gemau ac yn darganfod bod tai stad Maes Ceris wedi eu hadeiladau ar y caeau.
11. Richard Jones bron â tharo Gladys Davies.
12. Gladys yn mynd at Gareth Hughes i gwyno bod rhywun wedi ceisio ei lladd.

Penodau 6 , 7, 8

1. Yr Arolygydd a'r sarsiant yn holi Gareth Hughes am y ddamwain bum mlynedd ynghynt.
2. Meredydd yn gweld Bethan a'i mam mewn siop yn y dref.
3. Meredydd yn mynd i'r Erddig i weld Einir a chael cinio.
4. Richard Jones yn dod i'r bar ac yn holi Meredydd am ei waith.
5. Gladys yn gwylltio wedi gweld Meredydd yn dod ag Einir i'r tŷ.
6. Meredydd ac Einir yn mynd am dro ar Lwybr Uwchlaw'r Môr.
7. Richard Jones yn mynd i weld Now ar fferm Tan Ceris.
8. Richard Jones yn mynd â Now am beint i'r Wylan Wen.
9. Gareth Hughes yn dod i'r Wylan Wen ac yn darganfod pwy ydy Richard Jones.
10. Richard Jones yn penderfynu cael cynlluniau'r stad.
11. Meredydd yn dweud hanes damwain ei rieni wrth Einir.
12. Gladys yn gweld cysgod rhywun yn symud yn yr ardd.

Penodau 9 a 10

1. Yr arolygydd yn gwylio Richard Jones yn mynd i swyddfa Idwal Roberts, y pensaer.
2. Robin Hughes, Gwastad Hir a Meredydd yn siarad gyda'i gilydd.
3. Richard Jones yn gwylio trwy sbïenddrych ar ben mynydd Ceris ac yn gweld hers yn mynd i dŷ Gladys.
4. Einir yn gofyn i Meredydd fynd â hi adref i Borthmadog i weld ei rhieni.
5. Meredydd yn gofyn i Einir ddyweddïo a hithau'n dweud, 'Dydy mis ddim yn ddigon o amser.'
6. Huw Gwastad Hir yn cael £300 a hanner tŷ ar ôl Gladys.
7. Huw yn dweud, 'Rhwng Anti Gladys a Meredydd Parri mi fydd hers Wil Garej yn brysur ar y diawl.'
8. Wil Garej yn ffonio Gareth Hughes.
9. Gareth Hughes yn mynd â'i bastwn o'r tŷ ac yn mynd i'r Wylan Wen i brynu matsys.
10. Gareth yn taflu sach dros ben Huw a'i bastynu a'i ddyrnu.
11. Gorfodi Huw i daflu i fyny.
12. Gareth yn ffonio'r heddlu i wneud yn siwr eu bod yn dal Huw yn yfed a gyrru.
13. Angladd Gladys a Huw ddim yno. Now Tan Ceris yn gwybod pam.

Pennod 11

1. Meredydd yn dweud wrth Richard Jones bod llygod mawr yn crwydro gerddi Maes Ceris.
2. Meddwl Richard jones ymhell o fod yn dawel pan oedd ar y ffordd i Hirfaen tua 10.30 o'r gloch.
3. Richard Jones yn agor y clo clap ar y drws.
4. Richard Jones yn mynd allan trwy'r ffenest i ail gloi'r drws.
5. Richard Jones yn gorfod tyllu twnnel.
6. Richard Jones yn crio fel babi ac yn tanio sigaret.
7. Lleisiau plismyn y tu allan i'r sied.
8. Richard Jones yn dianc ac yn mynd trwy erddi'r tai.
9. Y plismyn yn torri i mewn i'r sied.
10. Dwalad yn brathu ffêr Richard Jones.
11. Richard Jones yn rhowlio i lawr ochr y cae.
12. Côt Richard Jones yn cael ei dal gan bigyn o graig.

Pennod 12

1. Meredydd yn gwneud hwyl ar ben y plismyn trwy ddweud eu bod yn y 'twll' anghywir os oedden nhw'n chwilio am Gladys.
2. Dau hofrennydd uwchben Mynydd Ceris.
3. Meredydd yn ffonio Einir ychydig wedi chwech o'r gloch y bore.
4. Meredydd ac Einir yn mynd yn ôl i Hirfaen ar ôl cinio.
5. Meredydd yn gwrthod siarad â'r dyn teledu hunan bwysig.
6. Plismon yn ceisio rhwystro Meredydd ac Einir rhag mynd i Dan Ceris.
7. Meredydd yn gwylltio'n gandryll.
8. Now yn dweud bod y plismyn wedi mynd trwy ei dŷ gyda chrib fân ganol nos.
9. Dod o hyd i gorff Richard Jones.
10. Now yn mynd i gladdu Dwalad.
11. Gormod o bobl ar y traeth i Meredydd ac Einir fynd i nofio.
12. Y plismyn yn dal i chwilio am y gemau.